Von Burg zu Burg am Niederrhein

Mercator-Bücherei Doppelband 21/22

Für Gustav, Gerhard, Erika, Suzanne und alle übrigen Schuster zwischen Kaiserswerth, Etzweiler und Bell.

Die in Klammern gesetzten Ziffern der Bildseiten geben die zugehörigen Textseiten an

Copyright 1976 by Gert Wohlfarth KG
Verlag Fachtechnik + Mercator-Verlag, Duisburg, und Dr. K. E. Krämer, Düsseldorf

Gesamtherstellung: H. Oppenberg KG, Duisburg

Die Karte des Vorsatzpapieres zeichnete Leo Nix, Düsseldorf

ISBN 3-87463-057-9

Von Burg zu Burg am Niederrhein

von Karl Emerich Krämer

Fotos von Eva Umscheid

Mercator-Verlag Duisburg

Von Burg zu Burg am Niederrhein, das muß richtiger heißen: von Wasserburg zu Wasserburg am Niederrhein. In einem Wiesen- und Wasserland, dem die Hügel schon Berge bedeuten, weil sie den freien Blick über die Ebene bis unter die Wolkentürme verstellen, sind Höhenburgen rar. Auch heute noch. Rechnet man die verschwundenen dazu, dann sind's ganze sechs. Nur noch dem Namen nach bekannt ist das Kastell der Grafen des Hamalands auf dem Hocheltenberg wie die Burg Munna auf dem Monterberg bei Kalkar. Eindrucksvoll und imponierend blieben die größten Bergburgen des Niederrheins: Schloß Broich in Mülheim-Ruhr und die weithin sichtbare Schwanenburg von Kleve. Vom erneuerten Bergfried der Burg Wassenberg schaut man ringsum ins Erkelenzer Land hinaus. Die Reste des Grafenschlosses von Liedberg im Kreis Grevenbroich lassen heute nur noch ahnen, welche Ausmaße die südlichste Höhenburg der Niederrheinebene einmal hatte.

Von fünfhundert Burgen nur sechs, die auf der Höhe lagen! Obwohl die linksrheinischen Inselberge vom Kamper- bis zum Gülixberg, die Höhenzüge von Oermten und Tönisberg, der Reichswald wie der Balberger Wald, die Bönninghardt und erst recht der Fürstenberg bei Xanten den Kelten wie den Römern, den Friesen wie den Franken genügend Möglichkeiten zur Errichtung von Flucht- oder Volksburgen, Wachttürmen und Höhenburgen boten, haben die Bewohner des Niederrheins nie Gebrauch davon gemacht. Vielleicht, weil Hügel und Berge frühe Kultstätten waren, wo man die Götter und Toten verehrte? Und daß man deshalb mit dem Einzug des Christentums die Erhebungen, die dem Himmel am nächsten waren, den Heiligen, ihren Klöstern und Kapellen überließ? Nicht nur der „Heilige Berg" von Süchteln, der erst der Göttin Iduna, später der Heiligen Irmgardis geweiht wurde, auch die Quirinus-Kapelle auf dem Fürstenberg wie das Zisterzienserkloster auf dem Kamperberg legen die Vermutung nahe.

Wir wissen zu wenig von den Menschen des Zweistromlandes zwischen Maas und Rhein in jener Zeit. Sagen und Legenden geben ihnen Farbe, jedoch selten Kontur. Nicht nur in Xanten und Kleve, überall am Niederrhein ist Nibelungenland, ist Nebelheim und Wasserwelt. Siegfried und der Heilige Viktor, beide als Drachentöter dargestellt, werden eins. Sind sie es wirklich? Der Gralsritter Lohengrin, der Sohn Parcivals, wird die Schelde hinab und den Rhein herauf in seinem Schiff von einem Schwan gezogen... „Von Fluß in Fluß, von Strom in Strom, bis sie zu der Stelle gelangten, wohin sie nach Gottes Willen beschieden waren," heißt es in der flämischen Sage vom „Ritter mit dem Schwan". Nur daß Lohengrin hier Helias heißt und Elsa, die ebensogut in Kleve wie in Nimwegen oder Antwerpen zuhause ist, Beatrix genannt wird. Der Schwanenritter und Sonnenbote (Helias = Helios?) läßt Frau und Kinder — Schwert, Ring und Horn zurück und zieht ins Loth-Reich, das nach einer anderen Fassung seines Namens „Loherangrin" von da an Lotharingien genannt wird.

Über alle Zweifel hinweg werden Verbindungslinien deutlich, die zwischen den beiden Helden aus „Niterlant", zwischen Brabant und Limburg, den Niederlanden und dem Niederrhein bestanden, nicht anders als in der Geschichte. Nur daß die Geschichte jenseits der Maas andere Akzente setzt als bei uns.

Wo zum Beispiel wird in unseren Geschichtsbüchern vom Dreißigjährigen Krieg der Frankofriesen mit den Normannen berichtet, von dem Krieg, der 864 zu Ende ging, um dann nach kurzer Pause, noch einmal für fast zwei Jahrzehnte als Guerillakrieg wieder aufzuflackern? Was wissen wir heute noch von den Männern des Niederlands, die entlang der Linie der normannischen Winterlager Thuin, Maastricht, Nimwegen und parallel zur Yssel, verlassen von ihren Königen und Fürsten, Widerstandsnester in einem Gebiet bildeten, das stärker als andere den Verheerungen der Normannen-Wikinger ausgesetzt war? Kaiser Karl der Dicke kaufte sich von ihnen frei mit dem Erfolg, daß 882 Lüttich, Maastricht, Aachen, Jülich und Neuss genauso in Flammen aufgingen wie anschliessend Koblenz, Bonn und Xanten.

Die Annalen berichten, daß von Flandern bis „Niterlant" nur *die* einheimischen Großen geachtet wurden, die sich bei der Verteidigung als Führer bewährten, „die unbezähmbaren Sinnes, immer bereit zu den Waffen zu greifen", den Widerstand organisierten, weil ihnen „Könige und Fürsten", verständlicherweise, „nur wenig galten".

Sind sie, die Unbekannten und Namenlosen, die „Erfinder" unserer Wasserburgen? Legten sie als erste in den Sumpf- und Wasserwiesen, hinter Bächen und in den alten Urstromtälern des Rheins versteckt, die frühesten, noch primitiven Zuflüchten mit Lebensmittel- und Waffendepots an? Waren die Turmhügelburgen, die sich aus solchen Plätzen entwickelten, nicht viel mehr als durch Wasser, Sumpf und Palisaden geschützte Partisanenschlupfwinkel? Und wenn ja, welche Vorbilder kannten sie, auf welche „Musterburgen" konnten sie zurückgreifen?

Waren es die ähnlich gebauten Wyks der Kaufleute, die befestigten Warenlager jener Zeit? Hatten sie gesehen und gelernt, wie die Wikinger ihre Winterlager anlegten? Fragen über Fragen, die bis heute ungeklärt blieben. Die Lager der römischen Legionäre, die Kastelle und Wachttürme des Limes konnten, sofern sie in diesem Bereich noch erhalten waren, nicht als Modelle dienen. Köln war die einzige echte römische Festung am ganzen Niederrhein. Undenkbar, schon von den Voraussetzungen her, daß die Widerstandskämpfer von den Kölnern etwas gelernt haben sollten.

Die Ausgrabungen haben bewiesen, daß die bisher bei uns gefundenen frühen Wasserburgen alle kurz vor oder um 900 entstanden sind. Warum so spät, wenn der dreißigjährige Normannenkrieg schon 834 begann? Sollte es schon vorher Befestigungen ähnlicher Art gegeben haben, Wasserburgen, die den Merowingern bereits zweihundert Jahre früher vertraut waren? Hat Pippin II. sich schon um 700 ähnlicher Wehranlagen bedient? Die Historiker bezweifeln es; den Archäologen ist kein Beispiel bekannt. Wir müßten es als gegeben hinnehmen und den Spekulationen unserer Phantasie Einhalt gebieten, wenn es kein Keyenberg gäbe.

II.

Am Rande von Keyenberg, wo im Pfarrhausgarten die Blumenkübel auf alten römischen Kapitellen stehen, kaum dreihundert Meter westlich vom „Glockensprung" der Niersquelle, teilt sich hinter einer Reihe neuerbauter Einfamilienhäuser der Wald und gibt jenseits der Straße den Blick auf eine kleine, mit Palisaden eingefaßte Insel frei. Vor ein paar Jahren noch ein vermoddeter Tümpel, in dem Schutt und Abfall der Anrainer sich breitmachten, läßt der jetzt graugrüne Wasserring mit den nun ebenfalls palisadenbewehrten Außenufern und der zur Insel hinüberführenden Holzbrücke nur den Eingeweihten vermuten, daß er vor einer der ältesten Burganlagen des unteren Niederrheins steht.

Die Überlieferung will wissen, daß es die Plektrudisburg ist, die ihren Ursprung und Namen jener Plektrudis verdankt, die als Stiefmutter Karl Martells von ihrem Kölner Witwensitz aus in die Kämpfe zwischen Austrasien und Neustrien eingriff, um ihren eigenen Enkeln das Erbe ihres Mannes, Pippin II., zu sichern. Das von den Kölnern in der Kirche St. Maria im Kapitol aufbewahrte lebensgroße Grabmal der Herzogin zeigt sie mit einem Muschelheiligenschein, vielleicht um die Stifterin des Klosters Echternach zu ehren, vielleicht aber auch, um darauf hinzuweisen, daß sie trotz aller Härte und Herrschsucht, die Gönnerin des Heiligen Suitbertus war, der heute vielerorts noch als Missionar des Niederrheins verehrt wird. Er und kein anderer soll auf ihre Veranlassung um 716 die erste Kirche Keyenbergs geweiht haben — sechs Jahre vor dem Tod seiner streitbaren Beschützerin.

Das alles spricht für ein hohes Alter der Keyenberger Plektrudisburg, die seit ihrer Wiederherstellung, besser als die anderen am Niederrhein entdeckten Motten, dem Laien eine Vorstellung davon gibt, wie diese frühen Turmhügelburgen einmal aussahen. Was die Plektrudisburg nicht zeigen kann, haben die Archäologen bei ihren Ausgrabungen an der Tüschenbroicher Mühle, am Brühl bei St. Hubert, in Born bei Brüggen und vor allem — dank der Arbeit Albert Steegers — am Husterknupp (Hochstaden) nicht weit von Morken entdeckt. Alle diese in den Sumpfniederungen von Flüssen und Seen angelegten frühen Befestigungen gleichen dem Muster der damals noch verhältnismäßig primitiven, zuvor schon in Frankreich am Loire- und Seine-Ufer freigelegten Wasserburgen, denen die Franzosen den heute allgemein üblichen Namen „Motten" gaben.

Halbinseln und Inseln, mitten im Sumpf oder von einem Bach umflossen, wurden durch Aufschüttungen höher gelegt und mit Palisaden aus Eichenstämmen befestigt, ehe man daran ging, in ihrem Ring Wohnhäuser, Ställe und Scheunen aus Fachwerk zu errichten. Neben dem Herrenhaus entstand ein Wehrturm, eine letzte Zuflucht in Kriegszeiten, der, später durch einen zusätzlichen Wasserarm von der Vorburg mit den Wirtschaftsgebäuden getrennt, auf einem immer höher aufgeschütteten Hügel als meist quadratischer Wohnturm die Aufgaben der späteren Hauptburg übernahm.

So boten die frühen Wasserburgen Schutz vor den Normannen, die auf beiden Rheinufern alles brandschatzten, was ihren Überfällen nicht widerstand und in den Turmhügelburgen keine Zuflucht fand. Wieviele der ursprünglichen Bauernburgtürme als Reste im Kern der später ausgebauten Wehrtürme und Bergfriede jahrhundertelang erhalten blieben, läßt sich heute nur noch schwer abschätzen, denn von den einmal nachgewiesenen fünfhundert Burganlagen blieb kaum mehr als ein Fünftel erhalten.

Motte der ehemaligen Plektrudisburg bei Keyenberg (6)

Alle anderen wurden durch Kämpfe, Brand und Bomben zerstört. Die jeweiligen Sieger und Besatzungen ließen das Mauerwerk schleifen oder verwendeten es wie die Ingenieure Napoleons für den Straßenbau, sofern nicht die allmählich verfallenden Bastionen, Giebel und Türme den umliegenden Gehöften als Steinbruch dienten. Andere wurden gesprengt und abgebrochen, weil die Industrie Platz brauchte, um sich weiter ausdehnen zu können.

III.

Als 1936, drei Jahre vor Ausbruch des Zweiten Weltkriegs, deutsche Soldaten in die bis dahin entmilitarisierte Zone des Rheinlands einmarschierten, geriet rascher als in anderen Teilen der ehemaligen Preußischen Rheinprovinz am Niederrhein der Glockenspruch in Vergessenheit, der 1930 beim Abzug der französischen Besatzungstruppen in vielen deutschen Zeitungen und Zeitschriften veröffentlicht wurde: „Hört, was die Glocke am Rheine spricht, Kinder und Enkel vergeßt es nicht, was wir in zwölf bitteren Jahren, da mancher am Leide zerbrach, im rheinischen Lande erfahren an schwarzer und weißer Schmach, das sei uns heiliges Vermächtnis mit Blut und Tränen geweiht: Wir waren, wir sind und wir bleiben deutsch bis in Ewigkeit."

Mehr als vierzig Jahre später, im Zeichen der deutsch-französischen Freundschaft und der Europäischen Wirtschaftsgemeinschaft, mögen Pathos und Versprechen der Jugend unverständlich wie aus längst versunkener Vorzeit in den Ohren klingen — im Kern und ohne Zeitbezogenheit gelten die Verse für zwei Jahrtausende niederrheinischer Geschichte.

Auch die römischen Legionäre, die Heere der Merowinger und Karolinger eroberten und besetzten den Niederrhein, nicht anders wie die Truppen Karls des Kühnen von Burgund und die spanischen Söldner Kaiser Karls V. Die Armeen der benachbarten Franzosen ließen sich mit Unterbrechungen fast in jedem folgenden Jahrhundert für kürzere oder längere Zeit als Besatzer des Landes am Unterlauf von Rhein und Maas nieder. Rechnet man die Kriege und ständigen Auseinandersetzungen der Erzbischöfe von Köln mit den Grafen und Herzögen von Kleve, Geldern, Jülich, Heinsberg und Berg hinzu, macht man sich klar, daß die Grundherren und ritterbürtigen Geschlechter über Generationen hinweg einander befehdeten, während Reformation und Gegenreformation das fruchtbare Land der Niederrheinebene immer wieder in ein Schlachtfeld verwandelten, dann begreift man, warum das Grenzland von Köln bis Kleve mehr Burgen besaß als Hessen und Niedersachsen zusammen. Angesichts der Ruhe des Landstrichs und der gelassen-verhaltenen Art seiner Bewohner, die heute noch so wenig zur üblichen Vorstellung vom Rheinland passen und geradezu im Gegensatz zum „typischen Rheinländer" stehen, scheint es unbegreiflich, warum ausgerechnet das vom Niederrheiner abprallte, was sich alle anderen Rheinländer als Beitrag zu ihrer kulturellen Entwicklung gutschreiben und was sie, ihrer eigenen Meinung nach, befähigt, mehr Temperament, Witz und fröhliches Wesen herzuzeigen als die übrigen Deutschen normalerweise sich selber zubilligen.

Selbst Wortschatz und Mundart unterscheiden den Niederrhein, ganz abgesehen von den vielen noch erhaltenen Sitten und Gebräuchen, von den übrigen Rheinlanden —

auch heute noch und manchmal mehr als es den bedingungslosen Fortschrittlern unter uns lieb sein mag.

IV.

Niederrhein, das meint im Sprachgebrauch: die Kölner Bucht zusammen mit dem auf der Höhe von Neuss-Grevenbroich beginnenden niederrheinischen Tiefland, das vom unteren Niederrhein rechts und links des Stromes bis zur holländischen Grenze, bis Kranenburg und Elten reicht. Das breite Tal mit seinen Seenketten, mit den von Pappeln und Weiden umsäumten Bächen und kleinen Flüssen, mit Urstromtälern, alten Rheinschlingen soll das Ziel unserer Burgenfahrten sein. Dabei werden alle Burgen und Schlösser des Kölner Raumes ausgeklammert, die, teilweise schon bekannt und anderweitig erfaßt, zu lange Anreisewege nötig machen. Um die weniger bekannten, oft schon halb vergessenen Adelssitze des unteren Niederrheins wieder zu entdecken, genügen außer einer zuverlässigen Karte (1:50 000) meist wenige Kilometer Autofahrt, die uns auf guten Straßen durch Felder, Wiesen, Wälder und Heide linksrheinisch zur Erft, Niers, Schwalm und Fleuth und am rechten Rheinufer zum Unterlauf von Ruhr und Lippe führen. Begrenzt wird das Reisegebiet durch ein Städtevieleck mit Kleve-Emmerich im Norden, Kaldenkirchen im Westen, Essen im Osten und die Linie Erkelenz-Grevenbroich-Düsseldorf im Süden.

Die Fahrt führt durch nahezu zwei Jahrtausende, von den römischen Resten der Kyburg an der Erft bis zum Rokokoschloß in Benrath und zum klassizistischen Stadtschloß der von der Leyens in Krefeld; sie führt durch die Geschichte unseres Landes, soweit sie sich noch an den Burgen ablesen läßt.

Dies gilt ganz besonders für Burg Linn in Krefeld, für die Schlösser Dyck, Rheydt und Moers, für die Dorenburg in Grefrath, für Schloß Broich in Mülheim-Ruhr, für Styrum und Schloß Oberhausen. Sie sind nicht nur zur Besichtigung freigegeben, sondern beherbergen wie das Obertor in Neuss und das Steintor in Goch, neben anderem, Ausstellungen, zeitgeschichtliche Museen, in denen die Historie der Städte, ihrer Burgen und Landschaften an Hand von Funden und Sammlungen belegt und — selbst für Jugendliche und Kinder anschaulich — dargestellt wird.

Andere Burgen, zum Beispiel Brüggen, Wassenberg, Wegberg, Golten, Ringenberg, gewähren freien Zutritt, weil sie als Hotels, Restaurants, Galerien und Altenheime ihre Gäste gern willkommen heißen. Bei allen übrigen empfiehlt es sich, die Besitzer um Erlaubnis zu fragen. Wer echtes Interesse zeigt, ist nahezu überall gerne gesehen. Die wichtigsten Anhaltspunkte und historischen Daten geben kurzgefaßt die in diesem Buch enthaltenen Beschreibungen. Wer sich gründlicher orientieren will, findet in Buchhandlungen, Bibliotheken, Heimatzeitschriften und Jahrbüchern ausführliche Abhandlungen oder entsprechende kunsthistorische und geschichtliche Erläuterungen.

Unser Buch, das den vorher erschienenen und inzwischen vergriffenen Band „Niederrheinische Burgenfahrt" ergänzt und fortsetzt, will nur Anreiz und Wegweiser sein, mehr nicht.

So eindrucksvoll uns das Neusser Obertor aus den Straßenzügen der Gegenwart in die Geschichte des Niederrheins entläßt, so wenig ist am Rheinufer oberhalb der Erftmündung noch von den römischen Legionslagern zu sehen. Erst jenseits der Bundesstraße 9, im Blutgraben und Taufkeller der Kybele, wird deutlich, wie wenig wir von der Geschichte unseres Landes wissen. Selbst die Pappeln, die uns erftentlang flußaufwärts begleiten, sind erst in den letzten hundert Jahren charakteristisch für den Niederrhein geworden. Die weitausladenden Ulmen in dem kleinen Park rings um *Schloß Reuschenberg* erinnern daran, daß die längst gerodeten Wälder der niederrheinischen Tiefebene einmal so reich an Ulmen waren, daß alle anderen Baumarten dahinter zurücktraten.

Hinter der Erprather Mühle, gegenüber dem ehemaligen *Kloster Eppinghoven*, sind auf dem rechten Ufer der Erft, kaum dreißig Meter neben dem Wiesenpfad, die Reste der *Kyburg* zu sehen. Auf der Südseite der Motte ragen fünf Meter hoch die Fragmente eines allem Anschein nach *römischen Turms*, der, wie die ganze Anlage, in absehbarer Zeit von unseren Archäologen ausgegraben werden soll.

An dem wegen des Versailler Vertrags nie in Dienst genommenen Bahndamm in *Helpenstein* erinnert der längst überwachsene *Hoffberg* mit dem kaum noch erkennbaren Wassergraben an die *Motte der Herren von Helpenstein*, deren Name schon 1059 in Aachen genannt wird. Als Friedrich von Helpenstein 1369 seinen Bruder Philipp erschlug, ließ sein Lehnsherr, der Kölner Erzbischof, den Brudermörder hinrichten und die Burg der Helpensteiner schleifen.

Auch *Hülchrath* entstand aus einer Motte, die der Gaugraf des Gillgaues im 10. Jahrhundert *zwischen Neukirchen und der Erft* errichten ließ. 1120 zu einem mächtigen Kastell und Sechzehneck ausgebaut, das mitsamt dem dazu gehörenden Burgflecken nach der Schlacht bei Wassenberg 1206 zur Stadt erhoben wurde, fielen Burg und Grafschaft Hülchrath 1314 durch Kauf an die Kölner Erzbischöfe zurück. *Hochschloß, Vorburg und Ringmauer* und *der fünfgeschossige Basaltorturm* boten dem zur Reformation übergetretenen und deshalb abgesetzten Kölner Erzbischof Gebhard Truchseß von Waldburg und seiner Frau Agnes von Mansfeld 1583 solange Zuflucht, bis die Kanonen des Herzogs Friedrich von Sachsen-Lauenburg, die Mauern zerschossen und der Truchseß mit seiner schönen, jungen Frau durch einen Geheimausgang entkommen konnte. Berüchtigt waren *die Verliese der Burg*, in denen man neben Räubern und Dieben auch dreizehn Frauen gefangen hielt, die 1629 als Hexen auf dem Scheiterhaufen endeten.

Der Gillgau verdankt seinen Namen dem *Gillbach*, dessen Wasser früher die Gräben von Burg Hülchrath füllten. Weiter nördlich wieder auf Neuss zu, tat der gleiche Bach *in Norf* der Müggenburg und dem Velbrügger Hof ähnliche Dienste. Der in drei Flügel gegliederte Backsteinbau der *Müggenburg*, der Ritter von Müggenhausen und Freiherrn von Quadt, soll nach den Plänen *Gabriel Grupellos*, der das Reiterstandbild des Kurfürsten Jan Wellem vor dem Düsseldorfer Rathaus schuf, um 1750 entstanden sein. Der Torbau vor der Rokoko-Freitreppe ist eine spätere Zutat des Kurpfälzischen Hofrats von Schwartz.

Ruine der Kyburg bei Neuß (10)

Die quadratische Anlage des *Vellbrügger Hofs* umschließt den massigen spätmittelalterlichen Viereckturm, der ursprünglich den Herren von Aldenbrück als *Wohnturm* diente, 1520 über die von Quadt an die Grafen Murbach kam, und erst im 17. Jahrhundert sein geschweiftes Dach samt Laterne erhielt.

Innerhalb weniger Jahre hat sich die Umgebung des *„Alten Schlosses"* von *Grevenbroich* so sehr verwandelt, daß uns der kleine Torbau des ehemaligen Wirtschaftshofes gleich doppelt willkommen heißt: den, der zu einer Sitzung der Stadtverwaltung im Rittersaal des wiedererrichteten Palais eilt, wie den, der im Keller oder auf der Schloßterrasse, bei einem Glas Altbier ein wenig der Geschichte der jülichen *Landesburg* nachsinnt. 1273 erwarben die *Grafen von Kessel* Dorf und Burg Bruke und vereinten den 1148 zuerst erwähnten Namen der Herren von Bruke mit ihrem Titel zur neuen Bezeichnung Grafenbruke = Grevenbroich. Nach dem Tod Graf Walrams fiel Grevenbroich 1296 durch Schiedsspruch den Grafen von Jülich zu. Im 15. Jahrhundert wurde das befestigte Haus durch ein Schloß ersetzt, das seit 1425 den Jülicher Ständen als Tagungsort diente. *Der dreigeschossige Palas* mit dem umlaufenden Spitzbogenfries ist der Kern des alten Schlosses, dessen Befestigungen im 18. Jahrhundert fielen.

Im Ortsteil *Elsen* erwarben die Brüder des Deutschen Ritter-Ordens 1263 die Güter des Rütger von Brempt. Die *Komturei* nahe der Stephanus-Kirche bestand, vergrößert durch Schenkungen, als selbständige Ordenskommende bis 1800. Reste der Umfassungsmauern und *die ehemalige Zehntscheuer* sind Zeugen der früheren Ordensburg.

Solange der alte Graf Mirbach noch lebte, blieb *Schloß Harff* von den Riesenbaggern des Braunkohletagebaues längs der Erft verschont. 1972 verschwand zusammen mit dem Turm, der Brücke und dem Schloß, auch das kleine Torhaus, dessen Wächter in den letzten Jahrzehnten jedem Besucher den Zutritt verwehrte.

Haus Borschemich, Haus Keyenberg, die Plektrudisburg und der *Zourshof* in Kuckum, alle vier im Quellgebiet der Niers, bilden den Auftakt für die stattliche Reihe der längs der Niers noch erhaltenen Wasserburgen und Schlösser. Hier soll die Rede sein vom *Schwalmer Haus in Wanlo,* dessen Torbau über der Rundbogendurchfahrt die Jahreszahl 1785 trägt. Der Kernbau ist älter, muß älter sein, weil das Geschlecht der Herren von Wanlo und Kuckum kurz nach 1100 ausgestorben ist und die Grafen von Jülich 1251 ihr Erbe antraten. 1586 überfielen 200 Söldner den Ort, plünderten ihn und verbrannten 13 Häuser samt der Kirche, deren Chronik berichtet: „Acht Jahre lang war das Land wüst gelegen ... die Bevölkerung teils getötet, teils nach allen Seiten auseinander geflüchtet."

Im Niersbruch bei Rheydt trat an die Stelle des fränkischen Salhofes um 1180 eine Burg, die der Kölner Erzbischof Philipp von Heinsberg den in Grevenbroich ansässigen Grafen von Kessel abkaufte und den *Edelvögten von Heppendorf* übergab. Im späten Mittelalter als Raubritternest verrufen, 1464 von den Truppen Kölns und Lüttichs zerstört,

Erker im Innenhof von Schloß Hülchrath (10)

gelangte *Burg Rheydt* als reichsunmittelbare Herrschaft in den Besitz des Reichsfreiherrn Otto von Bylandt, der das spätgotische Burghaus von 1558 bis 1570 zu einem reichgegliederten *Renaissanceschloß* nach italienischem Vorbild umgestalten ließ. Kurz vor Ende des Dreißigjährigen Krieges sprengten hessische Soldaten den Westflügel des Schlosses, dessen *Museumsschätze* den Besucher überraschen.

In *Gierath,* halb versteckt in einer Sackgasse, die zum Ufer des Jüchener Baches führt, wird zwischen den Beeten und Treibhäusern einer Gärtnerei *der klotzige Wohnturm der ehemaligen Burg Mülsfort* sichtbar. Der erste Namensträger wird 1106 als Zeuge benannt, der letzte, Gottfried von Mülsfort, wird 1261 als Kölner Chorbischof erwähnt. 1319 gehört der mittlerweile *Burg Gierath* genannte Rittersitz den Grafen von Jülich. Gieraths Wohn- und Wehrturm zeigt heute noch, wie gut sich schon im Mittelalter darin wohnen ließ.

Zwei Jahre nach der Kapitulation von Hülchrath wurde 1584 auch die *Wasserburg Haus Horst in Rheydt-Giesenkirchen* von den Kurkölner Truppen zur Übergabe gezwungen. Der Stammsitz der Herren von Horst war zwar seit 1338 kölnischer Unterbesitz, diente aber im Kölner Krieg der protestantischen Partei als Stützpunkt. Das Herrenhaus aus dem 17. Jahrhundert ersetzte 1853 ein neugotischer Schloßbau. *Der freistehende Backsteinturm* gehört wie die Vorburg zu den ältesten Teilen der Burg.

1933 von Rheydt eingemeindet, gab die ehemalige Stadt *Odenkirchen* ihre Selbständigkeit auf. *Das alte Kastell* der Grafen von Odenkirchen entwickelte sich aus einer um das Jahr 1000 angelegten *Motte,* fiel im 14. Jahrhundert einem Brand zum Opfer und wurde um 1550 wieder aufgebaut. *Jan van Werth,* der im Dreißigjährigen Krieg die Hessen aus Odenkirchen vertrieb, war von 1643 bis 1652 hier Burggraf. Zweimal eingeäschert und notdürftig wieder aufgebaut, wurde Odenkirchen im Zweiten Weltkrieg bis auf *das Torhaus von 1734* völlig zerstört.

In der Niersniederung *ein Park in Form einer Grafenkrone,* größer als alle andern am Niederrhein, eine Vorburg, deren beide Trakte an andrer Stelle selbst Schlösser sein könnten, so präsentieren sich, inmitten von Pappelalleen, Teichen und Gräben, die immer noch stattlichen *Überbleibsel des Schlosses Wickrath,* in dem heute *das Landesgestüt* untergebracht ist. Das 1752 erbaute Schloß trat an die Stelle des alten Edelhofes von 971 und der auf ihn folgenden verschollenen Burgen. Der Bau der Reichsgrafen von Quadt diente bis 1839 als Kaserne und wurde 1859 vom preußischen Fiskus zum Abbruch freigegeben. *Die beiden Giebelreliefs* der Vorburg zeigen Apoll mit dem Sonnenwagen und Ceres, die Göttin des Ackerbaus.

Als 1383 in der von einem Eremiten betreuten Klause von *Neuenhoven* die Heiligen Vierzehn Nothelfer verehrt wurden, stand der Klausner unter dem Schutz der in derselben Urkunde aufgeführten Burgherren von Neuenhoven. *Der dreigeschossige Rundturm* des gleichnamigen Hauses stammt aus dem 15./16. Jahrhundert und gehörte der Familie von Hundt, die wie die Ritterbürtigen auf *Haus Bontenbroich, Haus Horst* und *Haus Schlickum* protestantisch wurden und

Die Müggenburg bei Norf (10)

sich 1580 unter Führung des früheren Dyker Schloßkaplans Merkelbach zu einer Schutzorganisation der kleinen reformierten Gemeinden unter dem Namen „Neuenhovener Quartier" zusammentaten.

1582 überfielen spanische Soldaten *Schloß Dyck*. Spanier und Niederländer, Katholiken und Protestanten verwüsteten und plünderten Burgen und Städte genauso wie das offene Land. Der „Truchsessische" oder „Kölnische Krieg" (1582—1589) zog alle in Mitleidenschaft.

1599 ließen *die Herren von Klaitz* an der Straße zum nahen *Kelzenberg* das feste *Haus Bontenbroich* mit Treppengiebeln und einem runden Eckturm aufführen. Ab 1602 übernahmen sie den Schutz der im „Neuenhovener Quartier" zusammengeschlossenen, heimlich noch fortbestehenden *evangelischen Gemeinden*, die Grevenbroich unterstellt, 1614 von den wiederum einrückenden Spaniern verboten und unterdrückt wurden. Für ein paar Jahre noch geduldet, mußten sich die Protestanten 1622 wieder auf Haus Bontenbroich zurückziehen.

Die meisten Opfer forderte der Dreißigjährige Krieg in *Liedberg*. Der 25 Meter hohe Horst des Liedbergs wurde im 12. Jahrhundert Stammsitz des später nach ihm benannten Grafengeschlechts. Der Besitz gelangte über die mit den Liedbergern verwandten Herren von Randerath an das Erzbistum Köln, das 1299 *die Höhenburg* samt allen dazugehörenden Liegenschaften für 5000 Mark kaufen mußte. *Der Mühlenturm* auf dem Vorderhang ist der Bergfried des in jener Zeit angelegten Wehrbaus. Endgültig in Besitz nehmen konnten die Kölner Vögte Liedberg erst 1367. *Der mächtige Mittelturm* und die zum Teil erhaltenen *Ringmauern* stammen aus dem 14. Jahrhundert, *die Ruine des Herrenhauses* aus dem 17. Jahrhundert. Beide haben das Elend der 3500 Flüchtlinge miterlebt, die sich nach Liedberg retteten und vom Januar 1642 bis Juni 1643 an Hunger und Seuchen elend zugrunde gingen. Heute noch spüren wir das Entsetzen des *Pfarrers Cremerius von Glehn,* der in sein Kirchenbuch schrieb: „In diesen großen angsthaften Zeiten sind wir auf Liedberg beieinander versammelt gewesen wie bei der Zerstörung Jerusalems. In kurzer Zeit starben viertelhalbtausend Menschen, alle Örter, Gärten und Baumgärten liegen voller Toten...".

Wie unberührt, fast heiter wirkt daneben *Haus Fleckenhaus in Glehn,* das laut Inschrift 1560 von Dietrich van der Balen, genannt Fleck, und seiner Frau Margarete von Frenz nach holländischem Vorbild errichtet wurde. Nicht nur der von einer Zwiebelhaube gekrönte Eckturm, auch *das Herrenhaus mit seiner reichen Hausteingliederung* und den Medaillon- und Triglyphenfriesen, lassen den Einfluß der niederländischen Renaissance erkennen.

Um so augenfälliger ist der Gegensatz zwischen Fleckenhaus und *Haus Fürth*. Fürth ist das letzte am Niederrhein noch erhaltene Beispiel einer *Fachwerkwasserburg*. Ähnlich wie Fürth müssen einmal die vielen Ackerburgen zwischen Eifel, Maas und Rhein ausgesehen haben. Fürth, im 16. und 17. Jahrhundert entstanden, wurde 1959 wieder instandgesetzt und gehört heute den Grafen von Spee.

Das „Alte Schloß" in Grevenbroich (12)

Wie aus einer anderen Welt erscheint der schlichten Wohnburg gegenüber *Schloß Dyck, das wenige Kilometer weiter nördlich am Ufer des Kelzenberg-Baches,* umgeben von einem prächtigen Park, alles das aufweist, was kühnste Phantasie von einem Wasserschloß erwartet: Die malerische spätbarocke Großburganlage mit der hufeisenförmigen Vorburg und den steinernen Schilderhäuschen vor der Brücke, die Schloßkapelle mit der Grupello-Madonna, die Ecktürme, das Barockportal, die fünfachsige Brücke mit dem Brückenpavillon, lassen nur vermuten, wie armselig die erste Burg des Hermann von Dyck um 1094 hinter dem gestauten Bach, dem Dyck-Deich, in der Sumpfniederung ausgesehen haben mag. 1288 geriet Gerhard von Dyck in der Schlacht bei Worringen in Gefangenschaft. Sein Sohn Konrad V. gründete um 1340 den *Ritterbund „Die Gesellschaft von den fahlen Pferden".* Dessen Sohn wiederum überfiel als Raubritter bei Bergheim Lütticher Kaufleute. Die verbündeten Heere Kölns, Jülichs und Gelderns belagerten Dyck, zerschossen die Mauern und zerstörten 1383 das romanische Burghaus. Als der letzte Herr von Dyck 1395 starb, übernahmen *die Grafen von Salm-Reifferscheidt* den Besitz, der ihnen auch heute wieder gehört. 1663 entstand *das neue Herrenhaus* mit dem quadratischen Innenhof, 1890 der *Schloßpark,* der wie der Waffensaal vom Frühling bis zum Spätherbst besichtigt werden kann.

Solange das 966 im Tausch von dem lothringischen Grafen Immo erworbene Königsgut, die spätere Herrlichkeit *Erkelenz* dem Aachener Münsterstift unterstand, entwickelte sich der Marktort allmählich zu einer Stadt. Der endgültigen Erhebung durch Probst, Kapitel oder Vogt kam 1325 *Graf Reinald II. von Geldern* zuvor, der damit „einen tiefen Keil zwischen Kleve, Köln, Jülich und Limburg und Brabant trieb". Deshalb wurde *die alte Burg* zu einer starken Grenzfestung ausgebaut, die fast zweihundert Jahre lang, von 1370 bis 1543 den geldrischen Sperriegel sicherte. In die Stadtbefestigung einbezogen, von Gräbern umgeben, erhob sich mit 3½ Meter dicken Mauern 23 Meter hoch der Bergfried. Von den Ecktürmen der Umfassungsmauern blieb allein *der Wolfsturm* erhalten. Er diente als Burggefängnis, in dem die Gefangenen — durch eine 70 cm große runde Öffnung in der Plattform — im wahrsten Sinne des Wortes „eingelocht" wurden. Nach der Aufteilung Gelderns durch Kaiser Karl V. verloren die Festungsanlagen ihre Bedeutung; die vom Luftangriff 1945 schwer mitgenommenen Ruinen wurden 1960 wieder instandgesetzt.

Im Juni des Jahres 1206 nahm König Philipp von Schwaben in der *Burg Wassenberg* den Kölner Erzbischof Bruno IV. gefangen, der zusammen mit den Grafen von Wassenberg auf seiten seines Gegenkönigs stand. Nach der Schlacht bei Worringen zerstörte Johann II. von Brabant die durch hohe Mauern gesicherte Feste auf dem Hügel im Nordosten der Stadt. 1370 ließen die Heinsberger die wiederaufgebaute Hochburg schleifen. *Der viergeschossige Wohnturm* auf dem höchstgelegenen Eckpunkt Wassenbergs stammt wie *der Rundturm vor dem Teich* im Tal in seinen ältesten Teilen aus dem 15. Jahrhundert. *Die Unterburg* aus dem 18. Jahrhundert wurde 1962 zu einem *Hotelrestaurant* ausgebaut.

Das Schwalmer Haus bei Wanlo (12)

Schloß Rheydt (12, 14)

Wohn- und Wehrturm der ehemaligen Burg in Gierath (14)

Haus Horst in Rheydt-Giesenkirchen (14)

Schloß Wickrath (14)

Links: Mühlenturm der Burg Liedberg (16), Schloß Fleckenhaus in Glehn (16)

Haus Fürth bei Liedberg (16)

Haus Tüschenbroich bei Wegberg (28)

Deutlicher als andernorts läßt *Tüschenbroich* die ursprüngliche *Anlage einer Motte* erkennen. Der mitten im See gelegene Hügel der Hauptburg trägt zwar nur noch Mauerreste, die Größe der auf dem anderen Ufer liegenden *Vorburg* macht jedoch deutlich, welche Ausmaße die 1172 in einer Urkunde aufgeführte Burg einmal hatte. 1288 geriet die Motte als *Offenhaus* in den Besitz der Herzöge von Brabant bzw. Limburg. Nach mehrfachem Besitzerwechsel brannte 1624 die alte Burgmotte auf der Insel ab. 1630 begann der Ausbau der Vorburg zu einem neuen Schloß, dessen Mühle in unseren Tagen zu einem *Restaurant* umgebaut wurde.

Wegberg, das früher Berck oder Berge hieß, gelangte 966 zusammen mit Erkelenz an das Aachener Marienstift. 1170 bestätigte der Kölner Erzbischof Philipp von Heinsberg die Schenkungen seiner Großmutter Oda, die Wegberg 5 Solidi vermachte. Um 1500 gehörte der Ort mit der auf dem rechten Ufer der Schwalm liegenden Pfarrkirche zur Herrschaft Tüschenbroich, während *die Burg auf dem linken Schwalmufer* bei Geldern blieb. Der letzte Herr von Berke starb 1343. Sein Erbe war Sibido von Bongart. 200 Jahre später kam die Burg durch Heirat an die Herren von Nesselrode, die sie bis 1870 behielten. *Der alte Turm* hinter dem Springbrunnen bewacht den Zugang zu einem *Hotelrestaurant*, das, 1972 teilweise ausgebrannt, erweitert wieder aufgebaut werden soll.

Westlich von Effeld liegt die aus einer Motte des 13. Jahrhunderts hervorgegangene *Wasserburg Effeld*, die 1606 außer den beiden übereck gestellten Türmen einen viergeschossigen *Turm mit Renaissanceportal* erhielt. Der Eingangstrakt der ehemals vierflügeligen Vorburg stammt aus dem 17./18. Jahrhundert.

Zwei Kilometer südlich von der *Motte Hoverberg bei Birgelen,* ist das im letzten Weltkrieg bis auf die Umfassungsmauern zerstörte *Wasserschloß Elsum,* kurz vor dem holländischen Schlagbaum, eine der grenznahesten Burgen Westdeutschlands. 1960 wurde die Anlage, die 1288 über die Edelherren von Wassenberg an Brabant gevon Aldenbrück die Hauptburg errichten; die langte, wieder hergestellt. 1503 ließ Rütger drei aus dieser Zeit noch erhaltenen *Eck-türme* wurden 1876 erneuert.

Wie Grevenbroich geriet auch die *Burg Brüggen* im 13. Jahrhundert in die Hand der Grafen von Kessel; ihnen folgten die Jülicher Grafen, deren Vögte das nördlichste Amt des Herzogtums Jülich fast 300 Jahre lang verwalteten. Nach der Zerstörung durch geldrische Truppen, wurden Palas und Eckturm um ein Geschoß erhöht. Von den vier großen Ecktürmen und dem Hauptbau der ausgedehnten Wasserburg, blieb nur der *Kern der Festung mit Resten der Ringmauer, der runde Eckturm* und der im 17. Jahrhundert renovierte *Torturm* erhalten. Burghaus, Hof, Turm und Tor werden instandgesetzt und dienen in Zukunft als Burgmuseum.

Zwischen *Haus Elmpt* und den Resten der *Motte Born bei Brüggen* hat die Stadt Mönchengladbach in dem 1772 angelegten *Wasserschloß Dilborn* ein von Klosterfrauen betreutes Kinderheim untergebracht. Nur die Vorburg mit ihren hervortretenden Ecktür-

Haus Wegberg (28)

men stammt aus jener Zeit, *die neugotische Kapelle* auf der Rückseite wurde erst 1867 in den Wassergraben hineingebaut.

Nordwestlich von Brüggen *bei Lobberich* erinnert *der Rest des Kaiserturms* aus dem 11. Jahrhundert an den Dynastensitz der späteren *Grafen von Bocholtz*. Der breite Torbau mit der Wachstube und den Wehrerkertürmchen gehört wie die danebenliegende Kapelle zu der im 15. Jahrhundert errichteten Vorburg von Bocholt.

Haus Ingenhoven in Lobberich war 1403 ein geldrisches Lehen der Grafen von Bocholtz und zugleich ihr letzter Wohnsitz. *Das Herrenhaus der Wasserburg* mit dem Brückentor und den zwei Flankentürmen, 1544 angelegt und 1581 nach der Zerstörung erneuert, war nach dem Umbau 1860 bis vor wenigen Jahren Hotel und erhielt erst in jüngster Zeit wieder sein ursprüngliches Gesicht.

Der 21 Meter hohe *gotische Rundturm* aus dem 14. Jahrhundert ist das einzige Zeugnis der ehemals kurkölnischen *Burg Uda = Oedt,* die vom letzten Grafen Hülchraths zum Schutz des nahen Niersübergangs angelegt, im letzten Drittel des Dreißigjährigen Kriegs von den Hessen erobert, gegen die kaiserlichen Truppen Jan van Werths verteidigt und schließlich auf Befehl ihres Kommandanten 1643 gesprengt wurde.

Die Dorenburg im Nordteil Grefraths ist ein ehemaliger von Wassergräben umzogener *Rittersitz* inmitten eines neuangelegten Erholungsparks. Herrenhaus und Wirtschaftsgebäude werden, als *Landschaftsmuseum* eingerichtet, vom Backhaus bis zur Flachsdarre alle alten Bauern- und Handwerkergeräte des Niederrheins samt Blumen-, Gemüse- und Baumgärten im Umkreis der leuchtend weißen Burghausgiebel zeigen.

In der Rheinebene zwischen Neuss und Köln ist *Zons* allein einen ganzen Nachmittagsausflug wert, nicht nur, weil die kleine Stadt mit Tor, Turm und der Windmühle über den alten Gassen hinter der Stadtmauer besser als andere bildhaft die Erinnerung an die niederrheinische Geschichte wachruft, mehr noch weil die *Festung Friedestrom* einer der stärksten Eckpfeiler des kurkölnischen Burgenschachbretts war. Aus dem fränkischen Königsgut, dessen Hofstellen schon um das Jahr 1000 in den Besitz der Kölner Erzbischöfe gelangten, entstand 1275 eine befestigte Burganlage, die hundert Jahre später durch den Kölner Erzbischof Friedrich von Saarwerden zu einer der größten Rheinfestungen ausgebaut wurde. Die gefürchtete Zollstätte der Kölner erhielt den Namen Burg Friedestrom. Das Hochschloß, geschützt durch zwei Vorburgen und den sich darum schließenden Stadtmauerring, galt als uneinnehmbar. Von den vier noch erhaltenen Zonser Türmen, dem *Rheinzollturm*, dem *Mühlenturm* und dem *Krötschenturm* ist der der Stadt zugekehrte schlanke *Juddeturm mit Wehrgang und Schweifhaube* der schönste. Zwischen ihm und dem *Außentor der südlichen Vorburg* am Zwinger lag die Zollburg, die den Kölnern bis zur Aufhebung des Rheinzolls 1767 jährlich 5000 Goldgulden einbrachte.

Bei den Kämpfen des letzten Weltkriegs wurde bei Worringen am Rand des Chorbuschs der Burgsitz der Edelherren von *Hackenbroich* zerstört, die hier seit 1135 ansässig waren.

Burg Brüggen (28)

Westlich von Worringen, unweit des Kölner Randkanals, liegt *Haus Arff,* das 1755 als „Maison de Plaisance" anstelle des früheren Herrenhofs von 1366 errichtet worden ist. Das hohe Dach mit der sechsseitigen Aussichtslaterne, die Salons mit ihren Stuckdecken und das durch beide Geschosse reichende Treppenhaus zeigen, wie sehr das für die Kölner *Familie von Buschmann* erbaute Schlößchen den französischen Vorbildern seiner Zeit nacheifert.

Am Ortsrand Meerbusch-Büderich *in Niederdonk* wird zwischen hohen Baumgruppen der achteckige Zwiebelturm von *Haus Dyckhoff* sichtbar. Das zweigeschossige Herrenhaus von 1666 lehnt sich an den quadratischen Backsteinwohnturm der älteren Wasserburg aus dem 14./15. Jahrhundert. *Die mehrfach eingezogene Turmhaube* aus dem 17. Jahrhundert wurde 1960 erneuert; dabei mußten die Eichensparren wie beim Schiffsbau künstlich im Wasser gebogen werden.

Schon um 1100 war die aus einer *Motte* entstandene *Burg Meer* in Meerbusch-Büderich so stark befestigt, daß der Erzbischof Hermann III. von Hochstaden 1096 hier wie an sechs anderen Plätzen Kölner Juden vor den rachelüsternen Begleitscharen der Kreuzfahrer in Sicherheit bringen ließ. Umsonst, denn beim Näherrücken eines Trupps aus Neuss nahmen sie sich selbst das Leben. Nach dem Tod ihres Mannes und ihres Sohnes Graf Dietrich, schenkte die Erbin von Liedberg und Meer, Haus Meer den Kölner Erzbischöfen und stiftete *ein Kloster für adelige Prämonstratenserinnen,* das sie selbst als Äbtissin bis zu ihrem Tod (1186) leitete. Die romanische Klosterkirche wurde im 19. Jahrhundert abgebrochen. *Die noch erhaltenen Flügel* des inzwischen wieder zum Schloß gewordenen Klosters stammten aus dem 17. Jahrhundert. Sie wurden im letzten Krieg bis auf die Umfassungsmauern zerstört. Erhalten blieb der *Gutshof,* der 1802 nach Aufhebung des Klosters, zusammen mit dem Wald und den Parkanlagen, von der Familie von der Leyen erworben wurde.

Einer der letzten bäuerlichen Wehrtürme ist *der Berfes,* das Bergfriedhaus, des ursprünglich wasserumwehrten *Raveshof bei St. Hubert* (Kempen). *Der zweigeschossige Fachwerkturm* mit dem wehrgangähnlichen Obergeschoß besaß früher ein Rieddach und entsprach so dem urtümlichen Bild der alten Turmhügelburgen.

Der inzwischen ummauerte Berfes auf dem *Gelleshof bei Anrath* ist ein weiteres Beispiel mittelalterlicher Türme aus Holz und Fachwerk, die vor 100 Jahren noch auf den meisten größeren Höfen zwischen Kempen, Krefeld und Mönchengladbach anzutreffen waren.

Dietrich I., Herr von *Myllendonk* baute in der Niersniederung *zwischen Korschenbroich und Mönchengladbach* 1186 eine Wasserburg, die länger als fünfhundert Jahre die Straße durch den Hamarithiwald sicherte und sperrte. Dem Enkel des Erbauers schuldete der Kölner Erzbischof Konrad von Hochstaden 1000 Mark, für die Myllendonk von 1255 ab zehn Jahre lang den zehnten Teil der Neusser Zolleinkünfte erhielt. Von 1300 bis 1700 gehörte *die mächtige, zweiteilige Wasserburg* als geldrisches Lehen den Herren von Reifferscheid-Malberg. Nach

Schloß Dilborn bei Brüggen (28)

1700 erlangte Myllendonk durch König Karl von Spanien Reichsunmittelbarkeit. Im Kern spätgotisch, bis in die Barockzeit immer wieder erneuert und ausgebaut, wirken Türme und Mauern samt Vorburg und aufgemauerte Zugbrücke auch heute noch imponierend auf jeden Besucher des Schlosses, das vor einigen Jahren an den Golfclub Mönchengladbach verpachtet wurde.

Um 990 übertrug *Erzbischof Everger* von Köln einem Vogt die Verwaltung von *Neersen*. Von 1270 bis 1500 war die Burg Sitz der Herren von der Neers, den späteren *Reichsgrafen von Virmond*. Der gotische, auf der Hofseite durch Bergfried, Wehrmauer und Vorburg gesicherte Winkelbau wurde 1720 zu einem *Palast* erweitert, dessen Prunkzimmer 1859 ausbrannten.

Noch immer spiegeln die grünen *Wassergräben* die Türme mit den Schweifhauben und die geschweiften Treppengiebel des 1619 *bei Neersen* entstandenen *freiadeligen Hauses Stockum*, dessen von wildem Wein umsponnener Vorbau die Geschlossenheit der kleinen Wasserburg romantischer erscheinen läßt als viele andere nach dem gleichen Muster erbauten, am Niederrhein öfters anzutreffenden burgähnlichen Wohnhäuser.

Haus Raedt bei Vorst ist ein spätgotischer Rittersitz, dessen *zweigeschossiges Herrenhaus* mit den geschweiften Giebeln im 17. Jahrhundert umgebaut wurde. *Der Sechseckturm* hinter dem breiten Wassergraben und die Vorburg haben den 2. Weltkrieg unbeschädigt überstanden.

Den Mittelbau von *Haus Neersdonk bei Vorst* überragen, ähnlich wie in Stockum, *zwei Flankiertürme*, durch deren Schießscharten man je zwei Seiten der im 16. Jahrhundert angelegten *Wasserburg* beschützen konnte.

100 Mark zahlte der Kölner Erzbischof Philipp von Heinsberg um 1185 für den Besitz und den romanischen *Wohnturm des Otto de Linne*, der zusammen mit seinem Bruder auf der Sandbank eines alten Rheinarms die durch einen Wassergraben gesicherte erste *Burg Linn bei Krefeld-Uerdingen* anlegte. In den folgenden Jahrhunderten tauchen immer wieder Namen der Edelherren von Linn als Lehnsträger der Grafen von Kleve und des Kölner Erzbistums auf. 1298 wurde die *Motte* mit einer Ringmauer umgeben. Um 1400 ließ der Kölner Erzbischof Friedrich von Saarwerden den romanischen Wohnturm von Linn abreißen und mit sechs Ecktürmen zu einer sechsflügeligen Wehrburg ausbauen. Gegen 1500 erhielt das durch Umbau entstandene Schloß eine zehneckige Ringmauer, die hundert Jahre später als Kern der *Festung Linn*, in der man Burg, Vorburg, Stadt, Erdwälle, Gräben und Bastionen zusammengefaßt hatte, so stark war, daß die hessische Besatzung der Feste im Dreißigjährigen Krieg sich sieben Jahre lang verteidigen konnte. 1702 ging Linn während des Spanischen Erbfolgekrieges in Flammen auf. Alle Versuche der Kölner Kurfürsten, die Räume des Hochschlosses wieder bewohnbar zu machen, mißlangen. Deshalb ließ der *Kurfürst Clemens August* 1750 in der Vorburg ein schlichtes *Jagdschloß* und dem Gebäude gegenüber die *Zehntscheuer* bauen. 1926 kaufte die Stadt Krefeld Burg Linn von der Familie de Greiff

Burg Bocholt bei Lobberich (30)

und ließ sie wieder instandsetzen. Zusammen mit dem in einem umgebauten Luftschutzbunker untergebrachten *Niederrheinischen Landschaftsmuseum* bietet Linn mit seinen Ausstellungen und Anlagen nun einen umfassenden Überblick von der Vorgeschichte über die Römer- und Frankenzeit bis zu den Zeugnissen niederrheinischer Volkskunst.

Das Krefelder Rathaus ist das 1860 von der Stadt angekaufte *Schloß von der Leyen*, das Martin Leydel 1791—94 für Konrad von der Leyen entwarf und baute. Im Krieg zerstört und in den alten klassizistischen Formen mit dem Säulenportal wieder aufgebaut, beherrscht das Stadtschloß des Seidenbarons heute wieder den Rathausplatz.

Die Deutschordenskapelle des Hauses Traar erinnert an die Ritter von Are, deren kinderlose Erben Albert von Are und Aleidis von Rode 1275 die Burg samt Kapelle dem Deutschen Orden vermachten — wie es in der Urkunde heißt: „zu ihrem eigenen und ihrer Eltern Seelentrost". Im Truchsessischen Krieg brannte das Rittergut ab. *Portal und Kapelle* in Krefeld-Traar tragen noch heute die Wappen des Deutschen Ritterordens.

Herren von Rode, Ritter von Hüls, Grafen von Metternich und der Kölner Oberst von Kleist waren Eigentümer des seit 1246 beurkundeten Rittersitzes *Haus Rath,* das auf *einem Hügel am Rande Krefelds* inmitten weiter Wiesen und Felder an seinem Treppengiebel und den beiden vorgesetzten Rundtürmen zu erkennen ist.

Mitten im Innenhof des Schlosses *Moers* kam 1950 bei Ausgrabungen der quadratische *Turm einer Motte* zutage, dessen mit römischen Dachziegelresten durchsetztes Mauerwerk aus dem 12. Jahrhundert stammte. Die Rundform des nachträglich aufgeschütteten Hügels war bestimmend für die Ringmauer des Stammschlosses der *Grafen von Moers*, das umflossen vom Moersbach, im 14. Jahrhundert aufgeführt wurde. Graf Hermann von Neuenahr, der 1519 *Schloß und Grafschaft* erbte, ließ 1553—79 einen umfassenden Umbau durchführen, von dem nur noch der Hauptturm mit dem anschließenden Trakt erhalten blieb. 1586 stürmten die Spanier Moers. Nach 1600 ließ Prinz Moritz von Oranien die von dem letzten Moerser Grafen zusammen mit der Stadt geerbte Burg durch neue Verteidigungsanlagen mit 4 Bollwerken schützen. Die erneuerte und verstärkte Burg lag als fünftes Bollwerk an der Südseite der Stadt. Nach dem Tod des letzten Oraniers übernahmen die Preußen, die gleichzeitig Herzöge von Kleve waren, die Festung, bis *Friedrich der Große* die Wälle und Bastionen abtragen und die äußere Umwallung mit den Resten der früheren Schanzen in einen *Park mit rundumführender Wallpromenade* umwandeln ließ. Heute befindet sich im Schloß Moers *das Grafschafter Heimatmuseum*, das u. a. interessante Funde aus der Römerzeit zeigt.

Das Zwingertor der Zollfestung Friedestrom in Zons (30)

Haus Arff bei Worringen (32)

Haus Dyckhoff in Niederdonk bei Meerbusch
(32)

Nach der Niederlage bei Worringen verband der Kölner Erzbischof Siegfried von Westerburg 1294 seinen Dank an die ihm treu gebliebenen Kempener mit der Absicht, die Nordwestgrenze seines Territoriums durch *die Befestigung Kempens* zu sichern. Er ließ die neuen Ortsgrenzen rings um den bereits im Jahr 1000 bewirtschafteten Hof Kempen durch drei Türme im Osten, Süden und Nordwesten festlegen und gewährte den Neuhinzuziehenden besondere Freiheiten und Bürgerrechte unter der Bedingung, daß die Kempener selbst Gräben auswarfen, Wälle anlegten und die Türme durch Mauern miteinander verbanden. Gleichzeitig erhob er die alte kölnische Marktsiedlung zur Stadt. Seine Nachfolger bauten die Stadtfestung immer mehr aus. In vier Jahren, von 1396 bis 1400, ließ der Kurfürst und Erzbischof Friedrich von Saarwerden für seine Vögte als Wahrzeichen seiner Macht *eine mit drei Türmen bestückte Kolossalburg* mit Wassergraben, Zehntscheune und Verliesen anlegen, die düster drohend Stadtmauern und Türme überragten. Schutz den Glaubenstreuen, Zwingburg den Aufständischen und Bilderstürmern, erhielt die *Burg Kempen* erst um 1500 eine freundlichere Innenausstattung. Nach 1600 gab man durch den Einbau fürstlicher Gemächer und einer Schloßkapelle dem Kastell schloßähnlichen Charakter, der bei der Rekonstruktion von 1863 nicht wesentlich unterstrichen wurde. Die nach Kriegsschäden 1951 wieder instandgesetzte Burg ist heute *Teilsitz der Kempener Kreisverwaltung*.

Während das Herrenhaus verschwand und im 19. Jahrhundert durch einen Neubau er-

Wehrturm des Raveshofs bei St. Hubert (Kempen) (32)

setzt wurde, blieb die großräumige dreiflügelige Wirtschaftsvorburg von 1627 der *Burg Gastendonk bei St. Hubert mit Torturm, Brücke, Staffelgiebel* und den zwei quadratischen Ecktürmen hinter dem Wasserring erhalten.

Viele Besucher des Freibades in Rheinberg mögen von weitem den *„Spanischen Vallan"* für eine Art großer Gartenlaube halten; Haube und Form verführen dazu. Wer sich trotz Stacheldraht und Dornenhecken näherwagt, muß feststellen, daß der zwei Stockwerk hohe achtseitige Vallan auf dem Rest eines Festungswalls steht und daß er den *Soldaten der spanischen Statthalterin* in den niederländischen Provinzen, Isabella Clara Eugenia, tatsächlich im 17. Jahrhundert als Wohnturm gedient haben mag.

Auf dem linken Ufer der Nette bei Leuth lag die erste Burg der Edelherren von *Krikkenbeck*, die der Kölner Erzbischof Philipp von Heinsberg um 1180 für 1300 Mark kaufte. Um 1250 entstand auf einer Landzunge in der Hinsbecker Seenplatte *das kölnische Kastell Neukrickenbeck,* das dreißig Jahre später die Grafen von Geldern erwarben, während die Herren von Krickenbeck nach wie vor Lehnsträger blieben. Bei den Feldzügen Karls des Kühnen von Burgund 1475, mehr noch 1505 durch die Kämpfe König Philipps von Spanien in Mitleidenschaft gezogen, fiel Krickenbeck zusammen mit dem Herzogtum 1543 an Kaiser Karl V. 1673 bot die spanische Krone dem letzten Amtmann Wolfgang von Schaesberg Krickenbeck zum Kauf an; er erwarb die *Wasserburg* für sich und seine Erben. Die Burg selbst, 1550 ausgebaut und nur zur Hälfte ausgeführt, wurde im 19. Jahrhundert *zu einem Schloß erweitert,* das 1902 abbrannte, doch bald danach wieder neu aufgeführt werden konnte. Schloß Krickenbeck gehört den Herren von Schaesberg und ist heute ein *Altenheim.*

Glühende Feuerkugeln, die ersten Bomben, zerstörten 1588 die *Festung Wachtendonk,* die bis dahin als einer der Hauptstützpunkte der niederländischen Freiheitskämpfer zwischen Maas und Rhein galt. 1599 erobert der Bruder des Prinzen von Oranien, Graf *Ludwig von Nassau,* Wachtendonk wieder zurück, weil er, kühn durch die hartgefrorenen Sümpfe vorgehend, die spanische Besatzung des Statthalters Parma zur Übergabe zwang. 1602 von den Spaniern überrumpelt, ging Wachtendonk 6 Tage danach wieder verloren. Drei Jahre später erst konnten Spinolas Truppen während eines heißen Sommers, der die Nierssümpfe trockenlegte, die Feste für die spanische Partei zurückerobern. Der Stumpf eines Turms und *das ehemalige Torwächterhaus,* der sogenannte „*Pulverturm",* erinnern an die früher so bedeutende Wasserfeste.

1338 erwarb Graf Reinald II. von Geldern von dem Vogt von Belle zusammen mit der Ortschaft die *Wasserburg Issum,* die 1388 in den Besitz der Kölner gelangte. 1556 stürmte Otto Schenk zu Nydeggen Ort und Haus Issum und ließ beide niederbrennen. *Das neue Burghaus mit dem rechteckigen Torturm* und dem runden Treppenturm stammt aus der zweiten Hälfte des 16. Jahrhunderts und dient heute den Issumern als *Rathaus.*

Baumschulen und Blumenbeete einer Gärtnerei umgeben *Haus Steeg,* südlich von Issum. Das *Herrenhaus* mit Walmdach stammt wie die Vorburg mit dem viereckigen *Torturm* aus dem 17. Jahrhundert.

1757 brannte in der Nacht vor St. Martin die Hälfte der Ortschaft *Kervenheim* und mit ihr das alte *Kastell Kervendonk* bis auf einen geringen Teil nieder. Graf Steffen von Wissel verkaufte 1269 Burg und Stadt an den Grafen Dieterich von Kleve, der 1298 seinem Bruder Dieterich Luf die Herrschaft als Lehen übergab. 1412 erhielt die Grenzfeste gegen Geldern ein eigenes Richteramt, das von 1439 bis 1794 dem Amt Schravelen unterstellt wurde. Nach dem Brand von 1757 wurde das Schloß nicht wieder aufgebaut. Nur *die Brücke, die Kapelle und ein Wohnhaus* aus dem 17. Jahrhundert konnten nach Zerstörungen des letzten Krieges leidlich wieder instandgesetzt werden.

Östlich von Straelen liegt hinter doppelt gestaffelten Wassergräben, zwischen Rosenbeeten und Rhododendronbüschen *Haus Coull.* Dreißig Jahre, nachdem die immer wieder hart umkämpften Festungswerke Straelens geschleift worden waren, wurde 1701 in dem zwei Morgen großen Park die zweiflügelige *Backsteinwasserburg* mit Treppengiebeln und runden Ecktürmchen fertiggestellt.

Südlich von Geldern, im Bereich der Ortschaft Pont, liegt an der B 58 ein alter Rittersitz: die ehemalige Niers-Wasserburg *Diesdonk.* In der um 1830 entstandenen Vorburg ihres Wirtschaftshofes bietet eine Galerie moderner Kunst von der Sauna bis zur Bar, vom Schwimmbad bis zum Tennisplatz vielerlei Möglichkeiten sich zu entspannen. Beachtlich: der 150 Jahre alte Park.

Schloß Myllendonk bei Korschenbroich (32)

Haus Stockum bei Neersen (34)

Haus Raedt bei Vorst (34)

Haus Neersdonk bei Vorst (34)

Die Zehntscheuer von Burg Linn in Krefeld
(34)

Haus Traar mit Kapelle in Krefeld (36)   *Schloß Moers (36)* →

"Typisch Niederrhein", pflegen die Fremden zu sagen, die *Haus Caen* mit Mühle, Teich, Herrenhaus und Park zum erstenmal zu Gesicht bekommen. Die malerisch *an der Niers gelegene Wasserburg* geht auf einen mittelalterlichen Bau zurück, der in Urkunden aus dem 15. Jahrhundert genannt wird. Die Fundamente eines mittelalterlichen Turms, die man im westlichen Schloßgraben fand, bestätigen das hohe Alter des im 17. Jahrhundert umgebauten Herrenhauses. Aus der gleichen Zeit stammt auch *die alte Wassermühle*.

Ob Lewe von Balken erst 1319 am Ufer der Ley *Haus Balken* errichtete oder ob vorher schon *an der alten Straße von Köln nach Holland* an der Grenze der Landwehr der Grafschaft Kleve ein Wehrhof an der *Zollstelle ten Balcken* = zu den Zollbalken lag, ist heute nicht mehr auszumachen, weil von den alten Anlagen nichts übrig geblieben ist. Das Herrenhaus Balken wird Anfang des 15. Jahrhunderts mehrfach genannt; ein Schöffe namens an gen Balken taucht vor 1675 in den Gerichtsakten von Vynen auf.

In dem ersten, nach dem Krieg herausgegebenen Jahrbuch der Denkmalspflege über die Baudenkmäler in Nordrhein-Westfalen steht unter dem Stichwort *Schloß Winnenthal:* "Vom Herrenhaus mit dem anschließenden Turm stehen nur noch die Umfassungsmauern. Im südlichen *Vorburgturm* einige Risse. Die Dachdeckung zerstört, das Gebälk sehr morsch. Der Nordturm verlor die Dachdeckung und hat einige Treffer". Traurig wie vor Jahrzehnten Jahren stimmt uns der Anblick auch heute noch, vor allem dann, wenn man die Ruinen mit der Zeichnung Jan de Beyers von 1746 vergleicht. Von dem stattlichen Schloß, das *Herzog Adolf I. von Kleve* 1440 zu bauen begann und das den Herzoginnen von Kleve später als Witwensitz diente, ist nur die Turmgruppe erhalten geblieben. Verschwunden ist der breite Hausweiher, verschwunden auch der Rundturm im Osten. Von den Anbauten um 1660 blieb genau so wenig erhalten wie von dem anschließenden Trakt mit Saal und Kapelle. So wie Schloß Winnenthal ging es vielen Wasserburgen des Niederrheins, die, durch Krieg und Feuer zerstört, für immer verloren sind.

1970 berichtete *Friedrich Graf von Loë* über die ein Jahr zuvor begonnene Umgestaltung von *Schloß Wissen,* das sich seit 1450 im Besitz seiner Familie befindet. Der alten, 1213 zuerst erwähnten *Wasserburg* folgte im 14. Jahrhundert der Bau der van der Straeten, dann kam die damals stark befestigte Anlage an der Niers durch Heirat an Wessel van den Loë. Ost- und Südflügel der Vorburg und *der runde Eckturm* mit dem spitzen Dach stammen aus dem 16. Jahrhundert. Die Umbauten des 18. und 19. Jahrhunderts haben das malerische, *früher reichgeschmückte Renaissanceherrenhaus* von 1506 so entstellt, daß die Absicht des Schloßherrn, das "spätere Beiwerk zu beseitigen und die wertvollsten Innenräume zu erhalten" das Wasserschloß Wissen *zwischen Kevelaer und Weeze* zu einem neuen Anziehungspunkt werden lassen.

Haus Golten bei Pont südlich Geldern, nahe der alten Römerstraße von Xanten zur Maas, steht in einem Gelände, in dem die ersten Vögte des Gelderlandes, die Herren von Pont, im 10. Jahrhundert eine bis heute nicht wiederentdeckte Burg anlegten. Der Golten-

Burg Kempen (41)

hof an der Niers wird 1413 als Oberhof bezeichnet; heute führt eine Lindenallee zu dem *Herrensitz* mit den gedrungenen weißen Ecktürmen, die jetzt das *Altenheim des Kreises Geldern* behüten.

Während des letzten Krieges wurde in *Weeze* das aus dem 18. Jahrhundert stammende *Schloß Hertefeld* auf dem Ostufer der Niers fast gänzlich zerstört. Die 1179 erstmals erwähnte Burg ging auf einen karolingischen Königshof zurück, den der Pfalzgraf Ansfried 863 dem Kloster Lorsch schenkte. Als 1854 die Familie der Herren von Hertefeld ausstarb, erbte Philipp Fürst zu Eulenberg den Besitz. Sein Erbe, *Wend Graf zu Eulenburg,* ließ den noch gut erhaltenen *vorburgähnlichen Wirtschaftsflügel* von 1706 als Wohnung in dem schönen 5 Morgen großen Park herrichten.

Haus Walbeck nahe der holländischen Grenze, in einem Waldpark mit Alleenresten von Eichen, Walnußbäumen und Eßkastanien, beherbergt heute ein Sozialpädagogisches Institut. *Das Herrenhaus mit den ausgekragten Ecktürmchen,* zwischen denen früher der Wehrgang verlief, entstand im 16. Jahrhundert nach dem Vorbild der benachbarten holländischen Kastelle. Durch die Heirat mit Aleit von Rayde zu Walbeck wurde der Ritter Heinrich Schenk zu Nideggen Herr der Herrlichkeit Walbeck, zu der auch Afferden und Blyenbeck gehörten. Als sich im 15. Jahrhundert die Familie Schenk in die Walbecker und Blyenbecker Linie teilte, behielten die Schenk das alte Burghaus Walbeck, während die Blyenbecker Haus Steprath erbauten.

Die hufeisenförmige *Wasserburg des Hauses Steprath* ist aus verschiedenen Bauteilen des 16. bis 18. Jahrhunderts zusammengewachsen. Von den doppelt gestaffelten Gräben ist nur noch ein Teil erhalten; in den zugeschütteten Gräben wachsen Stauden und Sommerblumen. *Herrenhaus und Vorburg* stammen aus dem 17. Jahrhundert. Am Torbau von 1698 ist unter dem Wappen noch die Rechteckblende zu sehen, die zum Hochziehen der Zugbrücke diente.

In der Gemeinde Wankum, zwischen Niers und Nette, liegt *Haus Langenfeld,* der Stammsitz der Familie Spee zu Langenfeld, aus der 1591 *Friedrich von Spee,* der Jesuitenpater, Dichter und Vorkämpfer gegen den Hexenwahn hervorgegangen ist. *Das Wappen der Spees:* ein goldgekrönter Hahn auf weißem Feld, der rechtshin schreitend einen Scheiterhaufen, das Symbol der Hexenverbrennungen, zertritt, erhielt später eine Grafenkrone.

Schloß Haag, in der Bruchniederung der Niers, war der bedeutendste Adelshof des alten Amtes Geldern, obwohl die *gotische Wasserburg* erst um 1350 entstanden sein kann. Ihr Gründer war Johan van Boedberg. Einem seiner Nachfolger, Evert van Ulft, verliehen die Herzöge von Geldern das Amt des Erbmarschalls. Im Kampf um Geldern nahm Schloß Haag eine Schlüsselstellung ein. Deshalb verlangten die Sieger 1587 die Schleifung des Kastells. Zwischen 1623 und 1664 ließen die *Reichs- und Markgrafen von Hoensbroech* die niedergerissenen Mauern stattlicher als zuvor neu erstellen. Das Haupthaus von 1680 wurde wie die berühmte Kunstsammlung im 2. Weltkrieg zer-

Burg Gastendonk bei St. Hubert (Kempen) (41)

stört. Immer noch imposant sind *die beiden Vorburgen* mit ihren charakteristischen Türmen.

Haus Driesberg: Gegen Ende des 14. Jahrhunderts errichtete Johan Kodken van Zeller *im Niersbogen bei Kessel* eine Wasserburg zum Schutz des alten geldrischen Lehens, das 1546 an Willem van Schewick fiel und später von Herren von Nievenheim übernommen wurde. Die Hauptburg, die Jan de Beyer 1744 zeichnete, war ein im Karree nach holländischem Muster angelegtes Wasserkastell, das nach 1831 abgebrochen werden mußte. Von der auf dem südlichen Niersufer gelegenen Vorburg, die mit dem Kastell durch eine Brücke über die Niers verbunden war, blieben *die beiden Backsteintürme* aus dem 17./18. Jahrhundert mit Scheunen und Stallungen aus der gleichen Zeit erhalten.

Unweit der besterhaltenen romanischen Kirche des Niederrheins, der ehemaligen Stiftskirche *in Wissel*, mit dem Grab des heiliggesprochenen Grafen Luithart († 881), zeigt *die kleine Wasserburg Kemnade* zur Straße hin ein Biedermeiertreppentürmchen, das spitz über das Walmdach des zweigeschossigen Herrenhauses hinausragt. Mag auch der Kern, wie manche behaupten, spätgotisch sein, die neoromanische Überarbeitung des Äußeren erfolgte erst in der Mitte des vergangenen Jahrhunderts.

Anstelle des Holzturms, der 1433 den Landwehrpaß und *die alte Rosental-Straße* bewachte, trat 1477 ein Wachtturm aus Stein, den der zum Paßwächter bestellte Bauer aufmauerte. 130 Jahre später werden die nachfolgenden Besitzer des Bergfrieds zum Kleinadel des Landes gezählt. In den folgenden Jahrhunderten verfielen der Turm und mit ihm das Herrenhaus der kleinen *Wasserburg,* die, 1797 wieder instandgesetzt, heute noch den Namen *Haus Rosendal* trägt.

Warum gerade *Schloß Moyland* mehr als andere Wasserburgen des Niederrheins Schriftsteller früherer Generationen verzaubert und selbst Friedrich den Großen so sehr zum Schwärmen veranlaßt hat, daß er darüber die mißglückte Flucht seiner Jugend und die Haft in Wesel vergessen hat, ist heute kaum noch zu begreifen. Sogar die Kunsthandbücher sind bereit, *die Regotisierung im Tudor-Stil* zu loben, die 1854 auf Veranlassung des Barons Johann Nikolaus von Steengracht erfolgte. Eindrucksvoller als das 1944/45 zerstörte und 1956 von einem Brand heimgesuchte Bauwerk war das Schloß, das Friedrich II., der junge „Alte Fritz", 1754 den *Herren von Steengracht* nach dem Siebenjährigen Krieg verkaufte. Jan de Beyer hat das „Slot" oder „Huis" in zwei Ansichten 1746 festgehalten. Beide Blätter zeigen die großzügige Rechteckanlage, die von vier Rundtürmen eingefaßt wurde und deren nördlichster, als Bergfried fünfgeschossig hochgeführt, auf die Dächer und den nach Südosten sich öffnenden Innenhof herabsah. 1695 erwarb der Kurfürst Friedrich III. von Brandenburg, das fünfundzwanzig Jahre zuvor umgestaltete und innen reich ausgestattete Barockschloß, dessen älteste Teile, zwischen 1490 und 1500 erbaut, im Kern der Backsteinburg erhalten blieben. „Op gen Moyland" hieß der Gutshof, den Graf Otto von Kleve 1307 neben der Schanze *am Tillerbruch* Jakob

Der Spanische Vallan in Rheinberg (41)

van den Eger in Erbpacht gab. Hof und Schanze waren 1322 der Grundstock der ersten Wasserburg Moyland, nach der sich ihr erster Besitzer, ein Lütticher Archidiakon, Jakob van den Moyland nannte.

1663 erwarb der klevische Statthalter *Johann Moritz von Nassau* die Ruinen des 100 Jahre zuvor von holländischen Truppen gesprengten Klosters Gnadenthal und ließ aus den Quadern der Kirche den Tempel im Klever Tiergarten bauen. 1670 kaufte der preußische Freiherr von Blaspiel den Bauplatz, auf dem sein Sohn um 1704 das langgestreckte *Schloß Gnadenthal* mit Torhaus, Spiegelweiher und Brücke in einem französischen Garten anlegen ließ. Der 1830 klassizistisch umgestaltete Bau ist heute *Altenheim der Stadt Kleve*.

Die Schwanenburg in Kleve. Das Bild der Rheinebene vor Augen und die Lohengrin-Sage im Gedächtnis, meinte Wilhelm Heinrich Riehl, lasse sich keine schönere Szenerie denken, als sie Natur und Geschichte in Kleve schufen. *Der Schwanenturm* mit dem Schwan als Wetterfahne erinnert an die sagenhafte Herkunft der Grafen von Kleve, deren Ahnen auf dem vorspringenden Kliff des Hartenbergs über dem Altrheinbogen des Kermisdahls bereits unter den letzten Karolingern eine Burg angelegt haben sollen. Ob hier die Reichs- und Burggrafen von Nimwegen wohnten, ist ebenso ungewiß wie die Vermutung, die Burg sei als Sperre gegen die letzten Normanneneinfälle errichtet worden. Seit dem 11. Jahrhundert ist das Grafengeschlecht bekannt, das Stadt und Burg seinen Namen gab und durch verwandtschaftliche Beziehungen mit den Herzögen von Lotharingen die aus Brabant stammende Sage vom *Schwanenritter* für sich in Anspruch nahm. Auf dem Hartenberg entstand im 12. Jahrhundert ein Hochschloß mit Ringmauern aus Basalt und Tuff, hinter denen die Wohnbauten lagen. 1440 ersetzte der Schwanenturm den eingestürzten romanischen Bergfried wie schon vor ihm 1429 im Süden *der Spiegelturm* in seinen Kern romanische Baureste miteinbezog.

Schönste Zeugnisse dieser Epoche sind im Schloßinnern die an zwei Türen angebrachten *Fragmente einer prächtigen Prunkpforte* des Grafen Dietrich VI. († 1260). Dem unter Herzog Adolf II. von Kleve begonnenen Ausbau der Türme folgte 1463 *die alte Kanzlei*.

Als 1609 das Geschlecht der Herzöge von Kleve ausstarb, trat Brandenburg-Preußen das Erbe an. 1663 begann der Große Kurfürst mit dem Neubau und der Umgestaltung der übrigen noch vorhandenen Schloßtrakte, zu denen auch *die Arkadengänge im Innern* gehören. Zu Beginn des 19. Jahrhunderts wurden alle Teile, die für das im Schloß untergebrachte Landgericht und Gefängnis überflüssig waren, abgerissen. Als die Stadt Kleve im Oktober 1944 fast vollständig verwüstet wurde, blieb die Burg auf dem Schloßberg bis auf das inzwischen erneuerte Obergeschoß des Schwanenturms verschont.

Nachdem *die Zollburg Kellen* durch die Verlagerung des Rheinlaufs, die auch Kleve vom Rhein trennte, im 12. Jahrhundert aufgegeben werden mußte, gründeten die Herren von Smithusen, oder ihre Nachfolger Lecke und Culemburg 1380 an andrer Stelle eine neue Wasserburg, die nach 1750 einem *Rokokoschlößchen an der Straße Kleve-Emmerich* weichen mußte. Seit 1935 ist in *Haus Schmithausen* eine Landwirtschaftsschule untergebracht.

Schloß Krickenbeck bei Hinsbeck (41)

Burg Issum (42)

Die Ruine Kervendonk in Kervenheim (42)

Wassermühle von Haus Caen bei Straelen
(51)

Haus Coull bei Straelen (42)

← *Schloß Winnenthal, südlich von Xanten (51)*   *Haus Golten bei Geldern (51)*

← *Schloß Haag bei Geldern (52, 54)*   *Haus Walbeck, westlich von Walbeck (52)*

Haus Steprath im Grenzwald bei Walbeck (52)

Haus Langenfeld in Wankum (52)

Haus Driesberg bei Kessel (54)

Haus Kemnade in Wissel (54)

Der fränkische Graf Balderich († 1021) stiftete um die Jahrtausendwende *in Zyfflich* ein dem Frankenheiligen Martin geweihtes Kloster und gründete zu seinem Schutz nicht weit von dem Dorf Niel in der Düffel die erste *Burg Selem*. 1373 kommt Selem als Kranenburger Lehen an Dietrich von Horn. Später erwarben verschiedene niederrheinische Adelsgeschlechter die Wasserburg, die als befestigter Landadelssitz trotz der nahen Grenze immer mehr ihre strategische Bedeutung verlor. *Der niederländische Renaissance-Bau* entstand gegen Ende des 16. Jahrhunderts.

Rechter Niederrhein

Zu den Gütern, mit denen der Gaugraf Wichmann 963 die von ihm gestiftete Abtei auf dem Eltenberg ausstattete, gehört *Borghees*, das 827 und 338 in den Urkunden als „Landhaus Hese nahe bei Emmerich" erwähnt wird. Den Namen Borghees erhielt die „Villa Hese" nach der Familie de Brucchese, der um 1336 das Rittergut gehörte. Nach der Ermordung des Herrn Cele van Bruekheze zu Berghees, kaufte Graf Wilhelm der Reiche von dem Berghe 1461 das Gut. Das jetzt vorhandene Haus entstand 1680; unter den Eichen und Linden ist noch der Wassergraben zu erkennen, der einmal die Wasserburg umgab.

Haus Offenberg in der Hetter war vor zweihundert Jahren noch vollständig erhalten: ein spätmittelalterliches Herrenhaus mit Wassergräben und Türmen, dessen Besitzer zu Weel und Marlot nach 1600 zur klevischen Ritterschaft gehörten. Aus ihrer Zeit stammt *das Dienstmannhaus* mit meterdikken Mauern und *der Wappenstein* der zerstörten Offenburg.

1361 gab Graf Johann von Kleve dem Ritter Rutger van Hekeren die Erlaubnis, *im Kirchspiel Bienen* auf einer „Weidestelle im Bruch" *die Wasserburg* Bruchhuete, heute *Haus Hueth*, zu bauen. 1378 wurde Rutger Amtmann in der Hetter; seine Nachfolger bezogen als Amtssitz den Hof ter Heyden. 1454 wird Marschall Otto von Wylich, Herr auf Schloß Hueth, wieder mit dem Amt betraut. In der zweiten Hälfte des 18. Jahrhunderts erfolgte die Umgestaltung Hueths zu einem *Barockschloß*. Der dickwandige Turm an der Nordostecke stammt aus dem 14. Jahrhundert.

Freigraf Sueder von Dingden legte 1220 in den Sümpfen der Issel bei *Ringenberg* eine Wasserburg an, die im Dreißigjährigen Krieg so zertrümmert wurde, daß *der Große Kurfürst* seinem Obristen und späteren Gouverneur von Wesel Alexander von Spaen die „gänzlich ruinierte, auch ganz und gar zum Steinhaufen gewordene Burg" Ringenberg als Mannlehen überließ. 1661 bezog der Obrist das an gleicher Stelle aufgeführte *Schloß niederländischer Bauart*, das nach 1924 in den Besitz der Grafen von Plettenberg überging und heute noch *die hochaufragenden Kamine* mit den für Ringenberg charakteristischen Wetterfahnen aufweist.

Das an der Furt eines Rheinarmes *nördlich Wesel* im 14. Jahrhundert angelegte *Schloß Diersfordt*, kam durch Hila, die Tochter Dirks von Hessen in den Besitz der Herren von Wylak oder Willich. 1598 durch die Spanier unter Mendoza und 1621 noch einmal von

Schloß Moyland zwischen Kalkar und Kleve (54, 56)

ihnen gestürmt und geplündert, blieb von der mittelalterlichen Vorburg nur ein Stallgebäude mit Resten des ehemaligen Wehrgangs übrig. Alexander Hermann Reichsfreiherr von Willich ließ 1776 die freistehende *Rokokokapelle* im Schloßhof errichten. Das 1929 hinter Graben und Brücke wieder aufgebaute Herrenhaus gehört der *Rheinpark-Klinik*.

Ein besonderes Merkmal der alten Festungsstadt Wesel ist das *Berliner Tor*, der barocke Torbau der ehemaligen Zitadelle. Nach dem Plan des preußischen Hofbaumeisters Jean de Bodt erbaut, zählte es damals zu den Meisterwerken der Ingenieurkunst. Im letzten Krieg stark beschädigt, wurde es in vereinfachter Form wieder aufgebaut. Das Relief im Torbogen stellt Rhein und Lippe dar.

Haus Mehrum, acht Kilometer oberhalb der Festung Wesel, entstand im 15. Jahrhundert und gehörte von 1576 bis 1618 den Herren von Lützerath. Während dieser Zeit wurde das Schloß zweimal von den Spaniern geplündert und teilweise niedergebrannt. 1695 ließ Wessel Wirich von Bodelschwingh das Wohnhaus und die Wirtschaftsgebäude umbauen und einen achteckigen Treppenturm aufführen. Die Reste des 1945 durch Granaten zerstörten Schlosses wurden 1965 abgerissen. Zurück blieben neben der Gartenmauer die Wirtschaftsgebäude aus dem 19. Jahrhundert.

Zwischen Drevenack und Hünxe liegt auf dem nördlichen Lippeufer *Krudenburg*. Die Befestigung, die dem Ort den Namen gab, wurde aus den Steinen der zerfallenen Ringwallburg bei Berger-Schulte errichtet und gehörte bis 1363 dem Grafen Johann von Kleve. Dann kaufte sie Rutger von der Butzlaer samt Wassermühle und Fischerei. Wann die Krudenburg endgültig abgerissen wurde, ist nicht bekannt. *Der noch vorhandene Eckturm* trägt die Inschrift A.G.v.V. (Alexander Graf von Velen) 1664.

Die ältesten Besitzer des *Schlosses Gartrop* waren die Herren von Gardapen, die 1337 erstmals erwähnt werden. Der Drost von Orsoy, Heinrich von Hüchtenbruch, heiratete um 1600 die letzte Erbin Herberga von Gartrop. Sein Nachfolger war Albrecht Georg von *Hüchtenbruch*, dessen *Epitaph in der Hünxer Kirche* zu den wenigen barocken Grabdenkmälern des Niederrheins gehört. Das Portal des anstelle der Wasserburg errichteten Schlosses nennt die Jahreszahl 1675. 1739 brannten die Nebengebäude des Schlosses nieder. Über die Grafen von Quadt gelangte Gartrop 1805 durch Heirat an die aus Holland stammenden Freiherrn von Nagel.

Die frühe Burganlage von *Haus Voerde*, die 1344 ein Lehen der Abtei Werden war, ging bis zur Mitte des 19. Jahrhunderts durch die Hände zahlreicher Adelsfamilien. 1584 wurde die Wasserburg von den Spaniern geplündert. Der Turm trägt die Jahreszahl 1668 und das Wappen Caspar von Sybergs, dem das Herrenhaus seine jetzige Gestalt verdankt. Die ehemalige Vorburg ist verschwunden. Hinter der geschwungenen Freitreppe und den hohen Fenstern trifft sich die Jugend Voerdes zu gemeinsamen Veranstaltungen. Die Kellerräume wurden zu einer *Gaststätte* ausgebaut.

Die Schwanenburg in Kleve (56)

Burg Selem bei Niel, nördlich von Kleve (71)   *Haus Borghees bei Emmerich (71)* →

Haus Offenberg bei Praest (71) *Haus Hueth bei Bienen (71)* →

Neben einem alten Burghügel am Rotbach steht in Eppinghoven *die Wasserburg Haus Wohnung*, die 1327 Arnd van der Woyningen besaß. 1707 ließ Johann Carselis von Ulft das „sehr alte baufällige Haus" reparieren und fast vollständig durch einen Neubau ersetzen. Nach schwerem Beschuß 1945 wurde der Nordflügel 1957 wieder instandgesetzt. Haus Wohnung gehört den Thyssenschen Gas- und Wasserwerken.

Im spanisch-niederländischen Krieg wurde 1598 der Stammsitz eines der ältesten edelfreien Geschlechter des Niederrheins, *Haus Götterswick*, zerstört. Anna von Geldern ließ auf den Ruinen 1653 ein neues Haus errichten, das 15 Jahre später in Brand geriet. Erhalten von der alten *Wasserburg* blieb nur das als Pastorat dienende Haupthaus hinter dem Friedhof von Götterswick.

Anstelle einer mittelalterlichen *Motte*, die der Familie von der Heyden, gen. Rynsch, als Wohnsitz diente, ließen spätere Nachfolger 1830 *ein klassizistisches Herrenhaus* mit einem breiten Giebel und dem schlanken glockentragenden Dachreiter auf dem flachen Walmdach errichten. Heute steht *Haus Ahr* leer und droht zu zerfallen.

Das Kastell der *Reichsburg Dinslaken* ersetzte durch seinen Steinbau im 12. Jahrhundert eine schon 1190 genannte *Motte* im versumpften Rotbachtal. Im 14. und 15. Jahrhundert war die *Wasserburg* wie Winnenthal Witwensitz der Gräfinnen von Kleve. Nach einem Umbau im 16. Jahrhundert haben die Niederländer Dinslaken 1627 zerstört. Der Neubau von 1700 wurde nach 1770

Schloß Ringenberg bei Hamminkeln (71)

renoviert und nach einem Brand 1909 sofort wieder hergestellt. 1945 folgte die fast völlige Zerstörung. Beim Wiederaufbau 1950 konnten einige ältere Teile am Aufgang neben der Freilichtbühne erhalten werden.

Der Ring der Straßenzüge um die Salvatorkirche der Duisburger Altstadt umfaßte auch den in Urkunden aufgeführten fränkischen Königshof. Die Königspfalz, die den Ottonen noch als Quartier diente, ist untergegangen wie die verschiedenen Höfe rings um die Burg. Die Fundamente eines quadratischen Wohnturms, der vermutlich den Herzögen von Limburg gehörte, die im 12. Jahrhundert Statthalter in Duisburg waren, sind heute von der Karmelkirche in der Brüderstraße überbaut.

Im Weichbild der Stadt, in *Duisburg-Huckingen*, liegt das ursprünglich durch einen versumpften Rheinarm geschützte *Rittergut Haus Böckum*. Die ehemalige Wasserburg mit Steinbrücke und Barockportal, Eckturm und Schweifhaube entstand nach dem Dreißigjährigen Krieg und gehört heute den Grafen von Spee.

Weil der Sohn des alten Freiherrn von Boenen nach der Ernennung des Vaters zum Grafen von Westerholt-Gysenberg nicht standesgemäß geheiratet hatte und eine morganatische Ehe führte, mußte er laut Familienbeschluß *die mittelalterliche Wasserburg Oberhaus an der Emscher* beziehen, in der schon 1240 der Benediktinerabt Alberti aus Stade auf einer Wallfahrt nach Rom Quartier nahm. Das zum Schutz der Straße Mülheim — Essen — Wesel angelegte *Haus Oberhausen* wurde bis 1443 als Klevisches Lehen von der Familie de Duyker verwaltet und ging dann an Diedrich von Vondern über, der von dem benachbarten *Haus Vondern* in Osterfeld stammte.

1615 übernahmen die Freiherren von Boenen-Westerholt den Besitz, neben dem, 200 Meter weiter westlich, 1802—1818 *das neue Schloß Oberhausen* entstand. Fertiggestellt wurden nur *das klassizistische Haupthaus,* der Südflügel und der halbrunde Wirtschaftstrakt. Die vollständige, dreiflügelige Anlage ließ die seit 1929 nach dem Schloß benannte Großstadt Oberhausen aus den kriegszerstörten Teilen erst 1958—60 aufführen. Seitdem dienen die rosa getünchten Backsteinbauten als *Städtische Kunstgalerie* für Malerei und Plastik des 20. Jahrhunderts und als *Gedächtnishalle*.

Das Gut *Styrum* der Grafen von Altena wurde 1289 durch Eberhard von Limburg-Styrum zu einer Burg ausgebaut, die im 15. Jahrhundert einem größeren Herrenhaus weichen mußte. Nach einem vollständigen Umbau 1658 zerfiel Styrum immer mehr, weil seine Besitzer in Paris und Wien lebten und Teile der Anlage verpfändeten. Erst *August Thyssen* konnte 1890 die Bauten mit einem großen Kostenaufwand wieder herstellen lassen. Aus dem *Herrenhaus* wurde in unseren Tagen ein Teil *Museum,* der andere Teil ein *Altenheim*.

Seit die Archäologen im Innenhof des oberhalb der *Ruhr bei Mülheim* auf einem Bergsporn angelegten Schlosses *eine karolingische Burgsiedlung* mit einem 30 Meter langen Hauptsaal ausgegraben haben, bestätigen sie die zeitgenössischen Berichte, daß dieses *Sperrfort 883/84* von dem ostfränkischen Herzog Heinrich gegen die Normannenüberfälle angelegt worden ist und seine Aufgabe, die Ruhr zu sichern, erfüllt hat. Der erste namentlich genannte Eigentümer der Burg ist 1093 Burkhard von Brucke. Hundert Jahre später lösten die Brüder Dietrich und Everwin von Broich ihren an die Kölner Erzbischöfe verpfändeten Besitz wieder ein. 1372 erbte Graf Dietrich V. von Limburg „das Haus Brochge, das oberste Haus mit der Vorburg und mit der Festung" und nahm den Titel *Herr von Broich* an. Fehden und Überfälle seiner Nachfolger veranlaßten 1443 den Erzbischof von Köln zusammen mit dem Herzog von Jülich-Berg Schloß Broich 14 Tage lang zu berennen und zu erobern. 1589 unterlag Graf Wirich IV. von Broich 3000 Spaniern, die unter dem Befehl Mendozas die abziehende Besatzung niedermetzelten und einige Tage später den Grafen erstachen. 1648 wurde *Schloß Broich* wieder aufgebaut, 1780 erweitert. Nach der jüngsten Wiederherstellung durch die Stadt Mülheim dient Broich als *Freilichtmuseum,* Tagungsort und Sitz der Volkshochschule.

„In der Hugenpoth" hieß ein alter Bauernkotten, der in der Pot = Pfütze, den Ruhrsümpfen *bei Kettwig,* lag: ihm verdankt das *Schloßhotel Hugenpoet* seinen Namen. Ursprünglich ein Lehen der Abtei Werden, das 1344 einem Ritter Vlecke von Hugenpoet anvertraut wurde, war die alte Burg eine Zeitlang ein *Raubritternest,* das 1478 bei einer Fehde gestürmt und verbrannt wurde. Um 1500 entstand dicht daneben eine neue wasserumwehrte Anlage, die im Dreißigjährigen Krieg hart mitgenommen, 1647 durch den heute noch bestehenden Schloßbau des *Johann Wilhelm von Nesselrode-Hugenpoet* († 1661) ersetzt wurde.

Die Schloßkapelle von Diersfordt, nördlich von Wesel (71)

Das Berliner Tor in Wesel (72) *Krudenburg an der Lippe (72)* →

Schloß Gartrop bei Hünxe (72)   *Haus Voerde in Voerde (72)* →

Die ehemalige Reichsburg Dinslaken (79)

Schloß Oberhausen (79, 80)

Das Ruhrtor von Burg Styrum in Mülheim/Ruhr (80)

Karolingischer Innenhof des Schlosses Broich
in Mülheim/Ruhr (80)

Schloß Hugenpoet bei Kettwig (80)

Schloß Landsberg bei Kettwig

1903 erwarb August Thyssen die *Burg Landsberg* mitsamt dem 33 Meter hohen Bergfried von 1380 als Alterssitz und Ruhestätte. 1276 ließ der Herzog von Berg den *Ruhrübergang bei Kettwig* durch die Bergfeste Landsberg sichern, die unter den Rittern von Landsberg erst eine Raubritterburg, dann Sitz eines bergischen Amtmannes wurde. *Ringmauer und Rundturm* stammen aus gotischer Zeit. Den früheren Palas, 1655 durch ein *Renaissance-Herrenhaus ersetzt,* hat man 1903 umgebaut und erweitert. August Thyssen wurde in der Kapelle des mächtigen Bergfrieds beigesetzt.

Ein Epitaph in der Pfarrkirche von *Essen-Borbeck* zeigt das Bild einer mittelalterlichen Höhenburg, das Experten für den Oberhof der Ritter von Borbeck halten. 1277 erwarb das freiweltliche Essener Frauenstift die Burg, neben der im Talgrund, 800 Meter weiter südlich, der erste Sommersitz der adeligen Stiftsdamen entstand. Verärgert durch die dauernden Streitigkeiten mit den Bürgern der Stadt Essen, verlegten die *Fürstäbtissinnen* im 14. Jahrhundert ihren Wohnsitz nach Borbeck. In dem 1588 wieder aufgebauten Schloß ließ die im Rang einer reichsunmittelbaren Fürstin stehende Äbtissin 1662 den Bürgermeister und alle Ratsherren Essens festsetzen, bis sie der Kurfürst von Brandenburg mit schußbereiten Kanonen zwang, die Gefangenen wieder herauszugeben. Einige Jahre später entstand die neue Sommerresidenz in dem großangelegten Borbecker Park. *Eine steinerne Brücke* mit der Jahreszahl 1744 führt wie vor zweihundert Jahren zu dem von zwei Türmen eingefaßten und von einem Hausteich umgebenen *spätbarocken Herrenhaus,* das man 1842 noch einmal umbauen ließ. Der Turm der Vorburg stammt aus dem Mittelalter; *das schöne schmiedeeiserne Gittertor* am Eingang gelangte erst 1864 von Schloß Hugenpoet nach Borbeck. Seit 1942 gehört das nach der Säkularisation von der Familie von Fürstenberg erworbene Schloß der Stadt Essen.

Unberührt und unbeachtet von den vielen Ausflüglern, die an schönen Sommertagen zu den Seeuferterrassen des *Schlosses Baldeney* drängen, liegt dicht neben der Fahrbahn *die Schloßkapelle* am Fuß des Isenberges. 1337 stiftete der Ritter Theodor von der Leythen in dem Haus „tho der Boldeneye" eine der heiligen Maria Magdalena geweihte Kapelle, die, durch Zutaten äußerlich verändert, ebenso wie der nicht weit davon entfernte um 100 Jahre *ältere Bergfried, d*ie ursprüngliche Form behalten hat.

Haus Linnep bei Breitscheid, zwischen 1050 und 1090 schon als Linepe oder Linepo bekannt, war bis 1462 Stammsitz der Herren de Lynp und kam durch Heirat der letzten Erbtochter an die Grafen von Neuenahr. Der spätmittelalterliche, aus Bruchstein aufgeführte *Bergfried* überragt *das Herrenhaus* von 1769 und den rückwärtigen Flügel von 1873. Vor dem Tor des breitangelegten malerischen Wasserschlosses liegt *die Schloßkapelle von 1682.* Über Christoff von Isselstein und die Grafen von Wassenar zu Obdam gelangte Haus Linnep 1855 in den Besitz der Reichsgrafen von Spee.

Drei Jahre vor seiner Ermordung (1225) ließ Engelbert der Große, Graf von Berg, Erzbischof von Köln und Herzog von Westfalen, anstelle der alten Wasserfeste Angermonde ein neues *Schloß in Angermund* aufführen. Aus dem Kölner Lehen von 1187 wurde *das*

Schloß Borbeck in Essen (92)

nördlichste bergische Amt, das wie die sieben anderen Ämter einem ritterbürtigen Amtmann unterstand. 1441 beschwerte sich Herzog Adolf von Kleve-Mark darüber, daß einer der Kellner der Kellnerei Angermund in seinem Land, nämlich unterhalb Angerort am Rhein, ein Todesurteil vollstrecken ließ, weil das dem Kellner oder Amtmann unterstellte Hochgericht vermeiden wollte, durch Rad und Galgen weitere Gerichtsstätten ihres Bezirks in Verruf zu bringen. Erst 1801 wurden die bergischen Ämter aufgehoben. Der von der Anger umflossene Bruchsteinbau ist *im Kern noch staufisch,* das Herrenhaus, dessen Keller zu einer *Gaststätte* umgebaut wurde, entstand 1780.

Westlich von dem bereits im 11. Jahrhundert nachgewiesenen *Wasserschloß Heltorf* der Grafen von Spee beherbergt *in Wittlaer Schloß Kalkum* seit 1950 das *Hauptstaatsarchiv des Landes Nordrhein-Westfalen.* Aus dem Königshof Calicheim, den König Arnulf um 990 dem Stift Gandersheim schenkte, stammte das Rittergeschlecht der Herren von Calgheim, später Calcum, die in den Fehden gegen Köln auf der Seite ihrer bergischen Herzöge kämpften. Nach der Enthauptung des in Gefangenschaft geratenen Ludecin von Calcum ließ der Erzbischof Friedrich von Köln im Winter 1405/06 die Güter der Kalkumer verheeren. Um 1500 gelangte die *Wasserburg* in den Besitz der Ritter von Winkelhausen und im 18. Jahrhundert durch Heirat an die Grafen und Fürsten von Hatzfeld. Die gotische Burg ersetzte im 18. Jahrhundert ein Herrenhaus, das 1820 klassizistisch umgestaltet und 1954 für das Staatsarchiv umgebaut wurde.

Vor den Basaltpfeilern und Trachytquadern, die 13 Meter hoch *am Rheinufer von Kaiserswerth* als letzte Zeugen der Königsburg und *Kaiserpfalz* aufragen, widersprechen sich die landläufigen Geschichtsdarstellungen. Fest steht, daß Pippin II. auf Veranlassung seiner Frau Plektrudis zwischen 695 und 700 den auf der Rheininsel liegenden *Fronhof Rinhusen* dem Heiligen Swidbert (Suitbertus) als Aufenthalt zugewiesen hat. Strittig bleibt, ob er den Begleiter des Heiligen Willibrord damit belohnen oder ihn dort unter Aufsicht stellen wollte. Die mit Frömmigkeit gepaarte Grausamkeit seiner Gönnerin Plektrudis läßt beide Deutungen zu. Ebenso ungewiß bleibt, ob das zu einer Einheit zusammengefaßte Bollwerk von Königsburg, Kirche und Kloster nicht nur 778 von den Sachsen zerstört wurde, sondern auch 880 dem Normannensturm zum Opfer fiel. Die Xantener Annalen von 884 berichten lediglich, daß die Wikinger bei ihrer Fahrt rheinauf *„das große Haus des Königs"* vernichteten. Ob Kaiser Otto III. (983—1002) in Kaiserswerth, Nimwegen oder bei Kessel geboren wurde, wird wohl auch für immer ungeklärt bleiben. 1045 ließ *Kaiser Heinrich II.* die Inselburg zu einer starken Kaiserpfalz ausbauen, die von da an seinen Nachfolgern oft als Quartier diente. 1062 befiehlt der Kölner Erzbischof Anno, den noch minderjährigen König Heinrich IV. samt den Reichskleinodien, Kreuz und Lanze, mit einem Schiff aus Kaiserswerth zu entführen. 1174 läßt *der Rotbart Kaiser Friedrich I.* die Reichszollstätte nach Kaiserswerth verlegen und zwischen 1180 und 1184 die Kaiserpfalz mächtiger und prächtiger aus dunklem Säulenbasalt und hellem Drachenfels-Trachyt wieder aufführen, „gewillt, die Gerechtigkeit zu festi-

Die Schloßkapelle von Haus Baldeney in Essen (92)

gen, und daß überall Friede herrsche", wie es in der Bauinschrift heißt. In den Kämpfen um den Kaiserthron geriet Kaiserswerth zu einem ständigen Streitobjekt. Richard Löwenherz wurde hier gefangengehalten, der Bischof Otto von Münster für fast zwei Jahre eingekerkert. Nach dreimaliger Belagerung durch den Schneekönig Wilhelm von Holland 1248 mußte der Burgvogt Gernandus, halb verhungert wie seine Mitstreiter, die Rheinfeste übergeben. Nach wiederholter Verpfändung zahlte Kurköln 1424 an Gerhard von Kleve 100 000 Mark als Ablösung. 1591 wurde dem Kölner Burgvogt ein Sohn geboren, der als geistlicher Dichter, vor allem aber als Bekämpfer des Hexenwahns, in die Geschichte einging: *Friedrich von Spee.* 1589 fällt Kaiserswerth in die Hand der Spanier. Im Dreißigjährigen Krieg belagerte und besetzte der hessische Oberst von Fläns die Burg. 1656 explodiert das Pulverlager. 1672 zogen 12 000 französische Soldaten in Kaiserswerth ein. 1689 schloß der Sohn des Großen Kurfürsten, Friedrich III. von Brandenburg-Preußen, mit holländischen und münsterischen Truppen Stadt und Festung ein, bis die Franzosen nach einem heftigen Bombardement am 27. Juni kapitulierten. Im Spanischen Erbfolgekrieg wiederum von den mit dem Erzbischof von Köln verbündeten Franzosen besetzt, folgt 1702 erneut die Kapitulation Kaiserswerths. Was während der wochenlangen Kämpfe dem Beschuß entgangen war, wurde gesprengt. Die Burg riß man ab, um mit ihren Steinen die Ufer zu befestigen. Seitdem blieb die Kaiserpfalz *Ruine.* Der Wunsch, den der greise Kaiser Barbarossa aussprach, als er 1189 zum 3. Kreuzzug aufbrach, von dem er nicht wiederkehren sollte, ist so wenig in Erfüllung gegangen wie die Friedensgebete *der Heiligen Suitbertus und Willeikus,* deren Gebeine in dem Goldschrein der Stiftskirche ruhen. Friedrich Barbarossa bat: „O du Kleinod Kaiserswerth, möchte uns, wenn wir drüben im Paradies anlangen, eine gleich freundliche und friedliche Stätte empfangen, wie du sie uns flüchtigen Erdenpilgern hier auf liebliche Weise bereitet hast."

Apollinaris, nicht Lambertus, ist der Schutzpatron *Düsseldorfs,* obwohl die älteste Kirche der Stadt am Rheinufer unweit des *Alten Schloßturms* seinen Namen trägt. Von der ehemaligen Grafenburg aus dem 13. Jahrhundert und dem herzoglichen Schloß, das nach den Plänen Pasqualinis nach 1549 erneuert wurde, blieb seit dem Brand von 1872 nur *der mächtige Rundturm* übrig, der im 2. Weltkrieg nochmals zerstört, nach 1948 wieder hergestellt wurde.

Am Ende des Düsseldorfer Hofgartens und der Reitallee liegt im Bereich des früheren Pempelforthofs an der Jacobistraße das 1765 nach den Plänen von J. J. Couven unter dem Kurfürsten Karl Theodor von Pfalz-Sulzbach vollendete *Schloß Jägerhof,* das den bergischen Oberjägermeistern als Wohnsitz diente. Die Orangerie mit den hölzernen Giebelfüllungen wurde 1943 bei einem Luftangriff zerstört und nicht wieder aufgebaut, während das 1950 in seiner alten Form errichtete Schloß, seit 1961 *die Kunstsammlung Nordrhein-Westfalens,* die Klee-Sammlung und internationale Malerei des 20. Jahrhunderts beherbergt. Das 1802 anstelle eines Rokokohauses erstellte ehemalige *Hofgärtnerhaus,* dessen Torbau als Zugang zum Hofgarten diente, brannte am

Haus Linnep bei Breitscheid (92)

gleichen Tag wie Schloß Jägerhof aus und nahm nach seiner Wiederherstellung das aus der Kippenberg-Stiftung hervorgegangene *Goethe-Museum* auf.

Schloß Benrath. Nicolas de Pigage, der aus Lunéville stammende Oberbaudirektor des Kurfürsten Karl Theodor von Pfalz-Sulzbach, schuf in den Jahren 1755—73 inmitten eines tiefgestaffelten, dreihundert Morgen großen Parks nach französischem Vorbild ein Rokokoschloß mit 260 Räumen, dessen Hauptbau und Seitenflügel sich in dem großen runden Schloßweiher spiegeln. Vor den Treppen des Kuppelsaals schließt sich ein Stern von acht Alleen an den lang hingezogenen Spiegel-Weiher an. Östlich davon werden zwischen den Bäumen der unter dem bergischen Herzog Philipp Wilhelm 1661 errichtete *Prinzenbau* und die um 1700 gestiftete *Schwarzmarmorkapelle* des Kurfürsten Jan Wellem sichtbar. 1964 wurden im Hof des Prinzenbaus Reste einer mittelalterlichen Burg gefunden, die, um 1288 zerstört, allem Anschein den seit 1222 bekannten *Rittern von Benrode* gehört hat. Mit der Eingemeindung Benraths 1929 ging das Schloß in den Besitz der Stadt Düsseldorf über, die es als *Museum* und bei festlichen Anlässen für Empfänge benutzt.

Drei Generale des Großen Kurfürsten (1620—1688) stammten aus der näheren Umgebung Düsseldorfs: aus Kalkum, Lohausen und Eller. Der jüngste von ihnen war Wolfgang Ernst von Eller. Er starb 1680 und führte seinen Namen auf das im 12. Jahrhundert weitverbreitete Geschlecht der Ritter von Elnere zurück, deren Wasserburg, „castrum Elner", am Rand des großen Eller Forstes zwischen Düsseldorf, Benrath und Hilden lag. 1424 eroberte Herzog Adolf von Berg den Wohnturm des vom Eselsbach umflossenen Hauses Eller und behielt den gesamten Besitz als herzogliches Lehen. Über die Herren von Quadt gelangte Eller nach mehrfachem Besitzerwechsel 1711 an den Kurfürsten Johann Wilhelm von der Pfalz, der die Burg seinem Bergischen Oberjägermeister als Amtswohnung zuwies. 1826 ließ der Freiherr Carl von Plessen die alte Anlage zu einem Schloß umbauen, in dem 1882 die Prinzessin Friedrich von Preußen starb. Nach der Eingemeindung Ellers kaufte die Stadt Düsseldorf 1938 Schloß und Park, um ein Altenheim darin einzurichten. Seit der Instandsetzung ist das Schlößchen Sitz verschiedener Düsseldorfer Institutionen.

Haus Elbroich im benachbarten Stadtteil Holthausen war aller Wahrscheinlichkeit nach schon im 13. Jahrhundert ein zweiter Burgsitz der Ritter von Elner, der um 1600 völlig umgestaltet, einem kleinen Wasserschloß weichen mußte. Mehrfach umgebaut und modernisiert, von einem der schönsten Parks Düsseldorfs umgeben, und immer noch von weitem an seiner schiefhängenden barocken Turmhaube zu erkennen, ist Haus Elbroich heute Mittelpunkt einer in modernen Zusatzbauten untergebrachten Sonderschule.

Das vom Abbruch bedrohte *Schloß Mickeln in Düsseldorf-Himmelgeist* erhielt seine jetzige Gestalt in den Jahren 1847—49, nachdem Graf Wilhelm von Hompesch-Bollheim den 1836 abgebrannten Barockbau an den Herzog von Arenberg in Brüssel verkauft hatte. Das Besitztum selbst, 1418 in den Händen der Herren von Capellen, gelangte 1681 über die Freiherrn von Villich an die Reichsgrafen von Nesselrode. Von 1900 bis 1939 wurde Mickeln als Verwaltungssitz und

Schloß Kalkum in Wittlaer (94)

Wohnung des Rentmeisters benutzt. 1945 bewohnten zehn Familien das Haus; die letzten zogen 1970 aus. Seitdem steht Schloß Mickeln leer. Alle Pläne, es zu erhalten, scheiterten bisher an den hohen Renovierungskosten.

Das Holterhöfchen bei Hilden, zwischen dem Krankenhaus und der Autobahnunterführung, ist *eine von zwei Ringwällen umschlossene Wallanlage* einer vermutlich spätkarolingischen Wasserburg aus dem 9./10. Jahrhundert, deren Gräben von der dicht neben der Straße vorbeifließenden Itter gespeist wurden. Mehrere Durchlässe und Mauerreste wie ein 6 x 7 Meter großer mit Bruchsteinen ummauerter Raum und anschließende weitere Fundamentreste deuten auf einen Torturm hin, dessen Herrenhaus noch nicht gefunden werden konnte.

So ungewöhnlich der Auftakt war, mit dem wir unseren Burgenbericht begannen, so unauffällig und bescheiden wirkt das letzte Zeugnis, mit dem wir den Bogen vom linken bis zum rechten Niederrhein beschließen. Beide, die *Plektrudisburg* wie das *Holterhöfchen,* liegen auf der Grenzlinie, die die Kölner Bucht vom eigentlichen Niederrhein trennt. Beide erinnern daran, wie geschichtsträchtig die Ufer rechts und links des „niederen Rheins" auch heute noch sind, und wie sehr wir Gefahr laufen, die letzten Zeugnisse unserer Vergangenheit dem Fortschritt bedenkenlos zu opfern. Außer den Wasserburgen, die in diesem Band nicht mitaufgeführt werden konnten, gibt es in unserem Land noch viele Plätze, die, kaum erforscht, den Freunden der Geschichte und der Archäologie noch immer neue Überraschungen zu bieten haben. Beispiel dafür ist das 1972 bei Haus Meer ausgegrabene *fränkische Fischerdorf;* noch mehr dürfen wir bei den geplanten *Ausgrabungen in Xanten* erwarten. Deshalb sollte unser aller Interesse die vielfältigen Bemühungen der Fachleute so unterstützen, wie es die historische Landschaft des Niederrheins — heute mehr denn je — verdient.

Die in diesem Band nicht enthaltenen Wehrbauten und Schlösser der Kölner Bucht werden unter dem Titel „Burgen zwischen Köln und Aachen" zusammengefaßt. Zusammen mit den bereits vorliegenden Bänden (Von Burg zu Burg durch die Eifel, Bergische Burgenfahrt, Von Burg zu Burg durch Westfalen) wird damit den Burgenfahrern und Burgenfreunden ein umfassendes Programm geboten.

Ruine der Barbarossa-Pfalz in Düsseldorf-Kaiserswerth (94, 96)

Schloß Jägerhof in Düsseldorf (96, 98)   *Schloß Benrath in Düsseldorf (98)* →

Ortsregister

Abkürzungen: Schl = Schloß   Bg = Burg   Hs = Haus   Mo = Motte   Ru = Ruine

Ort	Burg, Schloß, Haus, Motte, Ruine	Verwendung	Bild-seite	Text-seite
Angermund	Schl Heltorf	Parkbesichtigung		94
Angermund	Schl Angermund	Gaststätte		92
b. Anrath	Gelleshof	Bauernhof		32
Bienen	Hs Hueth		77	71
b. Birgelen	Schl Elsum			28
b. Breitscheid	Hs Linnep		97	92
Brüggen	Bg Brüggen	Gaststätte	31	28
b. Brüggen	Schl Dilborn	Kinderheim	33	28, 30
Dinslaken	Bg Dinslaken	Restaurant Kreisverwaltung Freilichtbühne	86	79
b. Dinslaken	Hs Ahr			79
Duisburg-Huckingen	Hs Böckum	Gut		79
Düsseldorf	Ru Kaiserswerth	Freianlage	101	94, 96
Düsseldorf	Schloßturm	Jugendheim		96
Düsseldorf	Schl Jägerhof	Goethe-Museum Kunstsammlung	102	96, 98
Düsseldorf	Schl Benrath	Museum Parkbesichtigung	103	98
Düsseldorf-Holthausen	Hs Elbroich	Sonderschule		98
Düsseldorf-Himmelgeist	Schl Mickeln			98
Düsseldorf-Eller	Schl Eller			98
Effeld	Bg Effeld			28
b. Emmerich	Hs Borghees	Gestüt	75	71
b. Emmerich	Hs Offenberg	Bauernhof	76	71
Eppinghoven	Hs Wohnung			79
Erkelenz	Bg Erkelenz	Freianlage		18
Essen	Schl Borbeck	Parkbesichtigung	93	92
Essen	Schloß Baldeney	See-Restaurant	95	92
Gartrop	Schl Gartrop		84	72
b. Geldern	Bg Diesdonk	Galerie, Park Sportmöglichkeiten		42
b. Geldern	Hs Golten	Altenheim	63	51
b. Geldern	Schl Haag		64	52
Gierath	Bg Gierath	Gärtnerei	21	14

Ort	Burg, Schloß, Haus, Motte, Ruine	Verwendung	Bild-seite	Text-seite
Glehn	Hs Fleckenhaus	Gut	25	16
Götterswickerhamm	Hs Götterswick	Pastorat		79
Grefrath	Bg Dorenburg	Landschafts-Museum	Einb. Rücks.	30
Grevenbroich	Altes Schloß	Gaststätte Stadtverwaltung	17	12
n. Grevenbroich	Schl Dyck	Parkbesichtigung Waffensammlung Café	Einb. Titel	9, 16, 18
Harff	Schl Harff	abgerissen		12
Helpenstein b. Neuss	Mo Hoffberg			10
Hilden	Holterhöfchen	Freianlage		100
b. St. Hubert/Kempen	Raveshof	Gut	40	32
b. St. Hubert/Kempen	Hs Gastendonk		53	41
Issum	Bg Issum	Rathaus	58	42
b. Issum	Hs Steeg	Gärtnerei		42
Kalkum	Schl Kalkum	Hauptstaatsarchiv Parkbesichtigung	99	94
Kempen	Bg Kempen	Kreisverwaltung	50	41
Kervenheim	Schl Kervendonk	Freianlage	59	42
b. Kessel	Hs Driesberg	Gut	68	54
b. Kettwig	Schl Hugenpoth	Hotel, Restaurant	90	80
b. Kettwig	Schl Landsberg	Thyssen-Stiftung	91	92
Keyenberg	Mo Plektrudisburg	Freianlage	7	5, 6
Kleve	Schwanenburg	Landgericht Aussicht	73	56
Kleve	Schl Gnadenthal	Altenheim		56
Kleve	Hs Rosendal			54
Kleve-Kellen	Hs Schmithausen	Landwirtschafts-schule		56
Krefeld	Bg Linn	Niederrheinisches Landschaftsmuseum	47	34, 36
Krefeld	Stadtschloß	Rathaus		36
Krefeld	Hs Traar, Kapelle	Gut	48	36
Krefeld	Hs Rath			36

Ort	Burg, Schloß, Haus, Motte, Ruine	Verwendung	Bild-seite	Text-seite
Krudenburg	Krudenburg		83	72
b. Leuth	Schl Krickenbeck	Altenheim	57	41, 42
Liedberg	Hs Fürth			16
Liedberg	Bg Liedberg		24	16
Lobberich	Hs Ingenhoven	Hotel		30
b. Lobberich	Bg Bocholt		35	30
Meerbusch-Büderich	Bg Meer			32
b. Mönchengladbach	Schl Myllendonk	Golfklub	43	32, 34
Moers	Schl Moers	Grafschafter-Heimatmuseum	49	36
Moyland	Schl Moyland		70	54, 56
Mülheim/Ruhr	Schl Styrum	Altenheim Museum	88	80
Mülheim/Ruhr	Schl Broich	Freilichtmuseum Volkshochschule	89	80
Neersen	Hs Neersen			34
b. Neersen	Hs Stockum		44	34
Neuenhoven b. Rheydt	Hs Neuenhoven			14, 16
b. Neuss	Ru Kyburg	Freianlage	11	10
b. Neuss	Schl Reuschenberg	Schule		10
Niederdonk b. Meerbusch-Büderich	Schl Dyckhoff		39	32
Niel	Bg Selem		74	71
Norf	Müggenburg		15	10
Norf	Vellbrügger Hof			12
Oberhausen	Schl Oberhausen	Museum, Städt. Kunstgalerie	87	79, 80
Oberhausen	Bg Vondern			80
Oedt	Ru Uda	Freianlage		30
b. Pont	Hs Golten	Altenheim	63	51
Rheinberg	Spanischer Vallan		55	41
Rheydt	Schl Rheydt	Museum, Restaurant	20	12, 14
Rheydt-Odenkirchen	Bg Odenkirchen	Jugendheim		14
Rheydt-Giesenkirchen	Hs Horst		22	14
Ringenberg	Schl Ringenberg	Kunstgalerie	78	71